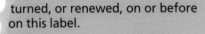

La révélation

SÉRIE *L'INSTIT*
DANS LA BIBLIOTHÈQUE VERTE

L'Instit

Série télévisée de Pierre Grimblat
dirigée par Didier Cohen

La révélation

Un roman de Gudule

d'après le scénario de
Didier Cohen et Gilles Thomas

HACHETTE

© Hachette Livre, Hamster Production, France 2 Éditions, 1966, 2001,
avec l'aimable autorisation de Gérard Klein.

Hachette Livre, 43, quai de Grenelle, 75015 Paris.

À Barbara,
petite écuyère angevine.

penche de côté sa petite tête sombre et fri-
sée.

« S'il vous plaît, m'sieur !

— Oh oui, m'sieur, s'il vous plaît ! » font
les autres, en écho.

Victor n'a jamais su résister à une supplication d'enfant, ni à un animal en détresse.
Levant Joséphine à la hauteur de ses yeux, il
lui demande :

« Et toi, qu'en penses-tu ? »

La petite bête fronce gravement son
museau.

« Elle est d'accord, traduit Victor. Mais où
allons-nous installer ce petit ménage et ses
futurs enfants ?

— J'ai une cage qui ne sert pas, à la maison. Je l'apporterai demain ! promet Olivier.

— Alors, on va pouvoir pendre la cré-
maillère ! » conclut l'instit, au milieu des
hourras.

Entre ses rives verdoyantes, la Loire s'étire comme un gros serpent paresseux. Le soleil de fin d'été y fait courir des reflets étincelants. Ébloui, le motard plisse les yeux sous la visière de son casque.

Il ralentit, le temps que sa vision revienne à la normale.

Le paysage qu'il traverse l'enchante. Alternant avec les prés où paissent des chevaux, d'immenses plaines dorées se déploient jusqu'à l'horizon. Des meules de paille, souvenir des récentes moissons, y sont posées ici et là, sur la toison de chaumes courts.

« L'Anjou, quelle merveilleuse région ! » murmure le voyageur.

Un pont enjambe la Loire. Il s'y engage très lentement, prenant le temps de contempler les rives de sable mordues par l'eau et les îlots où foisonne une riche végétation. Au loin, vibrant dans la lumière chaude, se découpe la silhouette d'un château de la Renaissance.

Au bout du pont, un panneau routier indique *Verblé, 4 km.* Dans une joyeuse accélération, le motard prend la direction indiquée.

L'école de Verblé est nichée dans une cour plantée d'arbres — presque un jardin. C'est un modeste bâtiment de pierre jaune chapeauté d'un toit d'ardoise, suivant la tradition locale. Des fenêtres ouvertes s'échappent de vagues rumeurs de voix enfantines. Tandis que le voyageur gare sa moto à côté de la grille d'entrée, une porte s'ouvre et une femme un peu forte s'avance à sa rencontre.

« Monsieur Novak ! Nous vous attendions avec impatience ! » s'écrie-t-elle, visiblement ravie.

Le voyageur, qui a retiré son casque, lui répond d'un sourire. C'est un homme d'une quarantaine d'années, dont le visage exprime une chaleur peu commune. Quelqu'un à qui, de prime abord, on a envie de donner sa confiance. Une sorte de grand frère universel...

« Bonjour, madame la directrice. »

Ils se serrent la main.

« Je suppose qu'on vous a mis au courant, poursuit la directrice. Nos CM2 sont sans institutrice depuis la rentrée scolaire. Imaginez mon embarras et le mécontentement des parents !

— Que s'est-il passé ?

— Rien de grave, heureusement : Mme Viviani ne devait partir en congé maternité que dans un mois, mais elle a eu de légères complications. Une première grossesse, vous savez ce que c'est : ça vous panique toujours un peu... »

Le motard prend un petit air perplexe :

« Euh... Personnellement, ça ne m'est pas encore arrivé ! »

En riant de bon cœur, ils pénètrent tous deux sous le préau.

Chapitre 1

« Avant de vous laisser faire connaissance avec M. Victor Novak, je tiens à mettre les choses au point », dit la directrice.

Elle embrasse du regard la totalité de la classe : une vingtaine d'enfants sagement assis — si sagement qu'on leur donnerait le Bon Dieu sans confession ! — et on ne peut plus attentifs. Satisfaite, elle poursuit :

« Je compte sur VOUS TOUS pour ne pas faire trop souffrir votre nouvel instituteur. J'ai bien dit VOUS TOUS, n'est-ce pas, Thierry ! »

L'intéressé, un grand garçon un peu remuant installé au dernier rang, rougit et baisse les yeux.

« Oh, je sais ! ajoute la directrice à son intention. Tu vas me dire que ce n'est jamais ta faute, je connais la chanson ! »

Toute la classe s'est tournée vers Thierry,

mais celui-ci ne bronche pas. Il courbe juste l'échine sous l'accusation, comme un cheval surpris par l'averse. Une sourde rancune l'habite. Ce n'est pas juste : même quand il ne fait rien de mal, on l'enguirlande !

Les « têtes de Turc », Victor n'aime pas ça. D'office, cet enfant-là a toute sa sympathie. À l'insu de la directrice, il lui sourit.

Au premier rang se trouve Laure, une fillette aux couettes blondes. À ses pieds, son sac de sport semble agité de curieux mouvements. Elle le regarde anxieusement et se mord les lèvres.

« Bien, conclut la directrice, si vous avez des questions avant que je m'en aille... »

Une brunette, aux larges yeux noirs pétillants d'intelligence, lève le doigt.

« Oui, Charlotte ? »

C'est à Novak que s'adresse la fillette.

« Vous allez rester longtemps, m'sieur ? »

L'instit refrène un petit sourire :

« Pourquoi ? Tu es déjà pressée de me voir partir ?

— Oh non, pas du tout ! rétorque Charlotte sans se démonter. C'était juste pour savoir !

— Ah, bon, tu me rassures ! »

Quelques rires discrets ponctuent sa remarque.

« Je suis avec vous pour deux mois et

demi. Le temps que votre maîtresse ait son bébé, poursuit-il.

— Deux mois et demi rien que pour accoucher ? s'étonne Olivier, le voisin de table de Charlotte. C'est vachement long ! »

La naïve remarque provoque une franche hilarité générale. Hilarité brusquement interrompue par un cri d'effroi de la directrice.

« Oh, qu'est-ce que c'est que ça ? »

Cramponnée à Victor, elle montre le sol d'un doigt tremblant. La tête moustachue d'un rongeur vient d'émerger du sac de Laure. De toute la vitesse de ses pattes, l'animal, affolé, traverse la salle pour courir se réfugier sous l'armoire.

« Un hamster, madame la directrice, répond l'instit avec une ironie flegmatique. Un hamster beige qui vient d'avoir une peur bleue ! »

Les rires, un instant suspendus, reprennent de plus belle. Dans un brouhaha de chaises et de piétinements, la plupart des élèves, surtout ceux du fond, se sont levés pour tenter d'apercevoir l'animal.

Mais la directrice ne l'entend pas de cette oreille. Elle n'a aucun sens de l'humour, surtout lorsqu'elle en fait les frais. D'une main autoritaire, elle tape sur le bureau.

« Vous savez très bien que je suis allergique à ces bestioles ! » s'écrie-t-elle.

Comme par magie, les rires s'arrêtent. Le silence tombe sur la classe. Épouvantée, Laure se ratatine sur sa chaise, dans l'attente de réprimandes.

Mais rien ne vient. La directrice bat prudemment en retraite, confiant à Novak le soin de régler le problème. Bientôt, la porte se referme sur elle, laissant les CM2 en compagnie de leur nouveau maître.

Quelle réaction va avoir ce dernier ? Inquiets, les enfants l'observent en retenant leur souffle.

Avec son habituelle décontraction, Victor s'approche de la « coupable ».

« Tu veux un conseil ? lui dit-il gentiment. La prochaine fois, vérifie que ton sac est bien fermé... »

Laure acquiesce, subjuguée.

« Bon, on ne va pas la laisser s'ennuyer toute seule sous l'armoire, cette jolie petite bébête ! » lance-t-il à toute la classe.

C'est le moment de la curée. Les vingt enfants se ruent vers le fugitif. Accroupis, à quatre pattes, à plat ventre, ils tendent les mains dans l'ombre pour tenter de le saisir.

Le hamster s'est tapi contre le mur du fond. Ses yeux microscopiques — deux têtes d'épingle luisant dans les poils clairs — suivent d'un regard apeuré les manœuvres de ses poursuivants.

« Il remue les moustaches, s'attendrit bruyamment Charlotte. Comme il est mignon !

— Mignon ? s'indigne Thierry. Tu le trouves mignon ? On dirait un gros rat, beurk ! C'est dégoûtant ! »

L'indignation raidit Charlotte.

« Eh, toi, on ne t'a pas sonné, alors... camembert ! » crache-t-elle.

Malgré tous leurs efforts, les enfants n'arrivent pas à atteindre l'animal.

« Il est trop bien planqué, m'sieur ! » se plaint Olivier.

À son tour, l'instit s'approche de l'armoire.

« Écartez-vous un peu, je vais essayer... J'ai le bras plus long que vous. »

Il se baisse, tâtonne quelques instants... et se relève, tenant délicatement le rongeur dans sa paume.

Le calme revient progressivement. D'un doigt, Victor caresse doucement la petite tête craintive, le dos frémissant, le ventre rebondi. Très, très rebondi.

« Quel gros patapouf, ce hamster ! s'exclame Olivier. On voit qu'il ne mange pas à la cantine, lui !

— Elle, tu veux dire, rectifie l'instit. C'est une dame... et une dame qui va bientôt avoir des bébés !

— Des bébés ? Chouette, alors ! » applaudit Charlotte.

Elle se tourne vers Laure :

« C'est quoi, son nom ?

— Joséphine... Mais l'embêtant, c'est que... »

Elle a l'air drôlement embarrassée et se dandine d'un pied sur l'autre. Ses couettes forment deux petites gerbes de paille autour de son visage.

« C'est que... ? » demande Victor.

Elle se dirige vers son sac, l'ouvre et en sort un autre hamster, noir cette fois.

« Ben... J'ai aussi le papa, Napoléon ! »

Victor lève les yeux au ciel. Concert de « Oh ! » et de « Ah ! » dans la classe.

« Tu es sûre qu'il n'y a rien d'autre dans ton cartable ? plaisante l'instit. Je ne sais pas, moi, un lapin, un crocodile... un mammouth ? »

Au milieu des rires de ses camarades, Laure continue à se tortiller, de plus en plus mal à l'aise.

« Que veux-tu qu'on fasse de ces deux fauves ? l'interroge Novak, perplexe.

— J'sais pas, m'sieur... Mes parents n'en veulent plus à la maison, à cause du chien...

— On n'a qu'à les garder en classe ! » intervient Charlotte.

D'un geste inconsciemment charmeur, elle

Il y a déjà un bon moment que la cloche a sonné. Devant l'école déserte ne restent que Charlotte et Olivier. Ce dernier, juché sur la moto de l'instit, fait semblant de la conduire en émettant des bruits de moteur avec sa bouche.

Il est aussi blond que sa compagne est brune, et un peu plus petit qu'elle. Ses cheveux, coupés très court, forment un curieux épi sur le front. Son visage fin, malicieux, criblé de taches de rousseur est pourvu d'une grande bouche gourmande, toujours prête à rire.

« Plus tard, je serai pilote de moto ! » affirme-t-il.

Charlotte hausse les épaules.

« La semaine dernière, c'était cascadeur de cinéma. Faudrait savoir ! »

Au même instant, Victor franchit le portail

et se dirige vers les deux enfants. Aussitôt, Olivier se laisse glisser de la selle de la moto.

« Qu'est-ce que vous faites là ? s'étonne l'instit.

— On attend son père, dit Charlotte, désignant son camarade du menton. Il est toujours en retard, hein, Olivier ! »

Comme Olivier s'apprête à répondre, un bruit de moteur le fait se retourner.

« Tiens, le voilà ! »

Un 4 × 4 un peu boueux vient de s'arrêter à leur hauteur, et un homme chaussé de bottes cavalières en descend. Sa ressemblance avec son fils est frappante : même couleur de cheveux, mêmes traits délicats, mêmes lèvres épaisses et bien ourlées. Même expression avenante. Après avoir embrassé Olivier et Charlotte, il s'avance vers Victor, main tendue.

« Philippe Mazières, se présente-t-il. Alors, c'est vous le remplaçant ? »

L'instit acquiesce d'un sourire, puis, désignant la tenue du nouveau venu :

« Vous vous occupez de chevaux ? demande-t-il.

— Oui, je fais de l'élevage et je donne des cours d'équitation. J'ai monté un petit haras à quelques kilomètres d'ici... Vous connaissez la région ?

— Non, pas vraiment, mais je compte bien la découvrir... »

Il montre sa moto :

«... avec mon cheval mécanique. Ça fait partie des plaisirs du métier ! »

Entre « cavaliers », on se comprend. Les deux hommes échangent un regard de connivence.

« Vous allez habiter où, m'sieur ? Dans l'école ? s'enquiert Charlotte.

— Je ne crois pas, non... »

S'adressant à Philippe Mazières :

« J'ai bien un appartement de fonction dans les bâtiments scolaires, mais rester nuit et jour sur mon lieu de travail, cela ne m'enchante pas. Je préférerais dénicher une petite auberge sympa, de préférence en pleine nature... Vous ne connaissez rien dans le genre ?

— Euh... Il y a bien l'hôtel Saint-Rémy... Pas mal situé, mais question tarif, je crois que ce n'est pas donné !

— P'pa ? »

Olivier s'est haussé sur la pointe des pieds pour glisser quelques mots à l'oreille de son père. Ce dernier hoche la tête.

« Pourquoi pas ? » murmure-t-il avec un petit sourire.

Puis, se tournant vers l'instit :

« Vous n'avez rien contre le voisinage des chevaux ? »

Le haras des Mazières est une ferme du XVIIIᵉ siècle, restaurée avec goût. Dans les champs alentour, transformés en manège et en parcours d'obstacles, Charlotte, coiffée de sa bombe de velours noir, caracole sur une superbe jument pie. L'aisance avec laquelle elle évolue dénote une longue pratique de l'équitation.

Penchée sur l'encolure de la bête, elle flatte, d'une petite main très douce, le pelage noir et blanc luisant de sueur.

À quelques mètres se dresse une barrière de bois vers laquelle la jeune cavalière dirige à présent sa monture. Maniant adroitement les rênes, elle la stimule de la voix :

« Vas-y, Vénus, vas-y ! Saute ! »

La jument s'élance et, d'un puissant coup de jarrets, franchit l'obstacle. Le mouvement est si parfait qu'on dirait qu'elle s'envole.

« Bravo, Vénus ! T'es la meilleure ! » rit Charlotte.

Toute fière de son exploit, elle passe au trot devant Philippe qui l'observe, en bordure du terrain.

« C'était très bien, ma grande ! Mais ne retiens pas ton cheval, surtout. Laisse-le aller avant d'attaquer la haie ! »

La fillette fait signe qu'elle a compris et s'apprête à affronter une nouvelle épreuve, encore plus difficile. La haie vers laquelle elle galope à présent est nettement plus haute que la barrière.

L'instant d'après, propulsée par la puissante musculature de l'animal, Charlotte bondit à nouveau dans les airs.

Olivier, qui ne l'a pas lâchée des yeux depuis le début de l'entraînement, applaudit à tout rompre.

Sortant de l'aile réservée à l'habitation, Victor traverse la cour bordée par les écuries et rejoint Philippe sur le terrain d'entraînement.

« Alors, cette chambre, ça vous va ? » demande ce dernier.

De toute évidence, l'instit est comblé.

« Je ne pouvais pas rêver mieux. Moi qui adore respirer l'âme des régions que je traverse... Ces vieilles pierres, cette campagne, ces chevaux, c'est l'Anjou dans toute sa splendeur ! Je ne sais comment vous remercier... »

Tant d'enthousiasme touche Philippe plus qu'il ne veut l'avouer.

« Laissez tomber les remerciements ! jette-t-il. Ça me fait vraiment plaisir de vous rendre service... »

Le bruit des sabots de Vénus le rappelle à l'ordre.

« Mets-toi en place pour la double haie ! crie-t-il à Charlotte.

— Oh, non ! On avait dit la prochaine fois ! »

D'une main impatiente, la fillette relève les boucles brunes qui lui dégringolent sur le front.

« En plus, je suis sûre que Vénus est fatiguée !

— Tatata, la rabroue gentiment Philippe. Lors du concours, tu n'y échapperas pas, alors autant être bien prête, non ?

— Du-nerf, Lo-lotte ! » scande Olivier pour l'encourager.

Avec un soupir agacé, la jeune cavalière positionne sa monture face aux deux obstacles qu'elle va devoir franchir coup sur coup. Elle semble moins sûre d'elle, soudain.

Olivier se rapproche de son père.

« Elle va y arriver, hein, p'pa ? »

Mimique indécise de Philippe. Répondant à sa perplexité, Vénus s'énerve, secoue la tête, remue les oreilles.

« Le cheval sent qu'elle hésite, dit l'instit. Il ne sautera pas... »

Philippe n'a que le temps de lui jeter un regard surpris. C'est qu'il a l'air de s'y connaître, l'intérimaire ! Déjà, Charlotte a lancé sa jument, mais à quelques mètres de la première haie, l'animal renâcle et se cabre.

« Bien vu ! » dit l'entraîneur à Victor.

Puis, revenant à la cavalière :

« Replace-toi mieux, Charlotte, prends ton temps ! »

Un peu à contrecœur, la gamine fait demi-tour et repart vaille que vaille.

« Détends-toi, insiste Philippe. Tu es prête, je t'assure ! »

Charlotte caresse l'encolure de Vénus et mesure l'obstacle avec appréhension. Elle sait qu'elle n'a pas droit à l'erreur, et dans ses yeux noirs tremble une vraie peur de petite fille.

Osera-t-elle la vaincre, cette peur, ou y cédera-t-elle avec découragement ? Philippe, Victor et Olivier attendent en silence. Soudain, venant de la route, une voiture s'engage dans la cour. Une jeune femme à l'allure d'adolescente en sort. Petite, les cheveux coupés « à la Gavroche », un jean délavé et un tee-shirt blanc moulant son corps frêle, elle se dirige d'un pas rapide vers le groupe de spectateurs.

Aussitôt, le visage de Charlotte s'illumine.

La jeune femme lui fait un signe d'encouragement. Dans ses prunelles bleu lavande passe un cri muet : « Vas-y, fonce ! »

Revigorée, Charlotte sourit, puis exhorte son cheval avec, cette fois, beaucoup plus d'assurance.

« Au galop, Vénus ! On va leur montrer de quoi on est capables ! »

Comme s'il n'avait attendu que cet ordre, l'animal prend son élan, et fonce.

Au premier saut — parfait — succède aussitôt le second. Charlotte a réussi l'épreuve haut la main.

Un tonnerre d'applaudissements salue la performance. Encore tout ébahie de sa victoire, Charlotte trotte à présent vers la nouvelle venue.

Philippe, non moins ravi, se tourne vers Victor.

« J'ai cru comprendre que vous vous intéressiez aux chevaux. Si ça vous démange de monter, ne vous gênez pas : il y a tout ce qu'il faut dans les box ! »

L'instit, visiblement, n'attendait que cette proposition. Tandis qu'il se hâte vers l'écurie, Philippe rejoint à grands pas son élève.

Celle-ci a déjà mis pied à terre, et se jette au cou de la jeune femme aux cheveux courts.

« Quelle chance que tu sois arrivée, maman ! Sans toi, je n'aurais jamais pu !

— Mais si, qu'est-ce que tu racontes ! Je suis très fière de toi, ma pupuce ! »

Elles s'embrassent en riant. Elles sont de la même taille ou presque, et quasiment de corpulence égale. Toutes deux offrent un curieux contraste : l'énergie et la solidité de l'une accentuant la fragilité de l'autre. On a peine à croire qu'elles sont mère et fille.

« Bonjour, Claire ! dit Philippe avec empressement. Alors, comment avez-vous trouvé notre championne ?

— Formidable ! Elle ira loin ! »

La fierté a coloré de rouge les joues de Charlotte.

« Comme toi, maman ! » s'écrie-t-elle joyeusement.

Claire a un petit haussement d'épaules modeste.

« Oh, moi... C'était il y a tellement longtemps... »

Quelques instants plus tard, tenant son cheval par la bride, Charlotte trottine vers l'écurie. Olivier marche à son côté.

Ils ont laissé Claire et Philippe en tête à tête près du manège.

« Pffft, t'as vu ça ? soupire la fillette, jetant un coup d'œil par-dessus son épaule. Ils en sont encore à se serrer la main ! »

Son compagnon semble aussi déconfit.

« Ouais... D'ici qu'il se décide à l'inviter au restaurant, on aura passé notre bac !

— C'est pas normal, ronchonne la fillette. Elle est jolie, ma maman, pourtant ! Ça ne doit pas être trop difficile d'en tomber amoureux !

— Papa aussi, il est chouette ! assure Olivier.

— Il ne t'a jamais parlé d'elle ? Par exemple, pour te dire qu'elle lui plaisait ?

— Non », fait le garçon d'un air navré. Et il ajoute :

« Enfin si, juste une fois, mais pas pour me dire qu'elle lui plaisait, pour me demander si elle allait à la réunion de parents d'élèves.

— Alors, ça ne compte pas. »

Charlotte frôle d'une paume distraite les naseaux de Vénus d'où s'échappe, à intervalles réguliers, une vapeur chaude, et conclut avec lassitude :

« Ben dis donc, si on veut que ça marche entre eux, on a intérêt à trouver quelque chose ! Et ce ne sera pas de la tarte, à mon avis ! »

Un coup de coude d'Olivier l'interrompt. Non loin, Victor Novak vient de sortir de l'écurie, tenant un canasson par la bride.

« Ho ho... » murmure Charlotte, très intéressée par le spectacle à venir.

L'instit ne porte pas de tenue spéciale : ni bombe, ni bottes, ni pantalon d'équitation. D'un mouvement souple, il se hisse en selle.

« Il se débrouille pas mal, pour un instit... » chuchote Charlotte à l'oreille de son compagnon.

Sans se douter qu'il est observé, Novak s'éloigne sur sa monture en direction des champs. Son trot menu se change bientôt en galop.

«... Très bien, même ! ajoute la fillette, une nuance d'admiration dans la voix.

— Il est carrément fortiche ! » renchérit Olivier, soufflé.

Chapitre 3

La petite voix de Laure s'élève au milieu du tapage :

« Pourquoi ils sont tout nus, m'sieur ? Ils doivent avoir froid ! »

Victor passe une main amicale sur les couettes de paille de la fillette, histoire de la rassurer :

« Mais non, ne t'inquiète pas, ils se réchauffent contre leur mère. Et puis dans quelques jours, leurs poils vont pousser ! »

L'heureux événement a eu lieu, dans la cage à lapins du CM2. Joséphine a mis au monde une portée de bébés hamsters. Leur corps, d'un rose translucide, évoque plus la larve que le rongeur. Cette progéniture aveugle et grouillante déborde d'un nid soigneusement préparé par la mère, sorte d'amalgame de Kleenex, bouts de chiffons et débris divers. Quelque chose d'attendrissant

et de douillet dans lequel, sûr ! les nourris-
sons trouvent tout le confort nécessaire.

De l'autre côté de la cage, loin du tendre
roulé-boulé familial, Napoléon somnole, dans
la plus parfaite indifférence. Il semble que sa
descendance ne le préoccupe pas beaucoup !

« Ils auront quelle couleur ? demande Stéphanie.

— Ça dépend de leurs gégènes », répond
doctement Jean-Paul.

La maladresse verbale amuse beaucoup
l'instit.

« Les gènes, Jean-Paul ! Les gènes ! » rec-
tifie-t-il en riant.

Joséphine n'est pas contente, ça se voit à
la manière dont elle fronce son museau. Sa
nichée s'éparpille un peu trop à son goût.
Certains petits menacent même de dégringo-
ler du nid. À l'aide de ses pattes roses — de
véritables mains à cinq doigts — elle rassemble ses petits sous elle. Ainsi tassés
contre son ventre, enfouis dans sa fourrure,
les minuscules vermisseaux n'ont rien à
craindre du monde extérieur.

« C'est quoi, les gènes ? » interroge Charlotte, sans lâcher des yeux l'émouvant
tableau.

Jean-Paul adore étaler ses connaissances.
Un vrai Monsieur-je-sais-tout !

« C'est des espèces de globules qu'on a en

nous, s'empresse-t-il d'expliquer. Des milliards et des milliards, comme dans un programme d'ordinateur ! »

Puis, prenant l'instit à témoin :

« Hein, m'sieur !

— Ce n'est pas tout à fait aussi simple, répond Victor, que ce "schtroumpf à lunettes" égaie de plus en plus. Heureusement pour nous, le corps humain n'a pas grand-chose à voir avec un ordinateur... »

S'adressant à l'assemblée :

« Allez vous asseoir, les enfants, je vais essayer de vous expliquer. »

Dans un calme relatif, chacun regagne sa place. Une fois derrière son bureau, l'instit prend la parole :

« Nous recevons de nos parents un certain nombre de caractéristiques physiques ou morales, et cela dès le début de notre vie. La taille, la corpulence, la couleur des yeux, des cheveux... Et aussi une nature colérique ou drôle, de la patience, des dons artistiques... Bref, ce qui fait que nous sommes "nous". Ça s'appelle l'hérédité. »

Il inscrit le mot au tableau, et le souligne.

« Mes parents, ils ne sont blonds ni l'un ni l'autre, et moi oui ! s'écrie Laure, sans même prendre la peine de lever le doigt. C'est possible ?

« — Ils ont des perruques, hé banane ! »
rétorque Thierry.

La fillette se retourne vers le fond de la
classe.

« Crétin !

— Et pan ! ponctue l'instit. Tu ne l'as pas
volé, Thierry ! »

Rire général. Beau joueur, Thierry n'est
pas le dernier à s'esclaffer.

« Quant à toi, Laure, réfléchis, poursuit
Victor. Évidemment que c'est possible,
puisque tu existes ! »

La brièveté de la remarque laisse Laure
sur sa faim.

« Mais comment ça marche ? insiste-t-elle.

— Quoi au juste, ma grande ?

— Ben... Pour les yeux, par exemple ? »

L'instit se gratte le crâne avec perplexité.
La génétique n'entre pas dans le programme,
mais laisser une question sans réponse est
contre ses principes...

« C'est assez compliqué..., murmure-t-il.

— Et alors ? se rebiffe Charlotte. On n'est
plus des bébés ! »

Une rumeur où l'on devine quelques
« Oui, c'est vrai ! », « Pour qui il nous
prend ? » indique que l'ensemble des CM2
est de cet avis.

Victor sait par expérience que les enfants
sont obstinés, et ne se reconnaît pas le droit

de les décevoir. Faisant appel à toutes ses connaissances en la matière, il commence son explication en circulant, selon son habitude, dans les rangées.

« La couleur de nos yeux est déterminée par deux gènes. L'un vient de notre père, l'autre de notre mère. Je vais prendre l'exemple le plus simple : en général, deux parents aux yeux bleus auront des enfants également aux yeux bleus.

— Et quand ils ont les yeux marron, leurs enfants ont des yeux de cochons ! » rigole Nicolas.

Ignorant volontairement la sottise de la réflexion, l'instit se tourne vers le tableau, écrit PÈRE et MÈRE, et sous chacun des mots dessine deux petits carrés.

« Par contre, si l'un a les yeux bleus et l'autre les yeux marron, ça se complique... »

Au premier rang, Charlotte suit la leçon avec une attention soutenue. Elle fixe si intensément le mot PÈRE que sa vue finit par se brouiller. Toutes les lettres ont l'air de danser sur la surface noire du tableau.

*
* *

La nuit est tombée depuis bien longtemps. Dans la pénombre de sa chambre, Charlotte dort, ses boucles noires répandues sur l'oreiller. Un rayon de lune s'insinue entre les rideaux mal tirés et jette une lueur bleue sur son sommeil.

Soudain la fillette semble tourmentée. Elle repousse sa couette. Son visage, si calme un instant auparavant, grimace.

« Papa... Ne t'en va pas, reste avec moi... Papa, papa, reviens ! » gémit-elle. Elle se débat à présent dans les mailles invisibles d'un cauchemar. Sa tête, en s'agitant frénétiquement de droite à gauche, fait rouler sur l'oreiller les mèches luisantes de sa chevelure.

Brusquement, elle s'éveille et se redresse, en sueur. Vite, elle allume la lampe de chevet, pour dissiper les mauvais rêves. Ouf ! Dès qu'il fait clair, ça va tout de suite mieux...

Ses yeux encore embrumés de sommeil réapprivoisent peu à peu le décor quotidien. Le lit, le bureau encombré de livres et de cahiers, la chaise où sont jetés en vrac les vêtements de la veille. Les posters de chevaux couvrant le papier peint. Sur la moquette, le sac à dos grand ouvert, la trousse d'où débordent bics, feutres, crayons et gommes... Comme la réalité est rassurante, après les extravagances de la nuit !

Bien réveillée, à présent, Charlotte saute

sur ses pieds et fonce vers un pan de mur où est punaisée une photo. Elle la décroche, retourne se coucher, et là, bien au chaud, dans la lumière rose de la lampe, elle la regarde.

Oh, comme elle la regarde, cette photo, Charlotte ! Avec quelle passion elle s'y plonge !

C'est un Polaroïd de vacances, sur fond de mer. On y voit un homme d'une trentaine d'années, en maillot de bain, portant sur ses épaules un bout de chou à la crinière brune. Il plisse les paupières, ébloui par le soleil d'été. Il a l'air si heureux qu'on croirait presque l'entendre rire.

Sur la marge du bas, on peut lire l'inscription suivante : « Charlotte et son papa, août 1987. »

Chapitre 4

Considérablement grossi par la loupe, le visage bronzé ne perd rien de sa joie de vivre.

Mais ce n'est pas cela qui, pour l'instant, intéresse Charlotte.

« Alors, qu'est-ce que tu en penses, Sherlock Holmes ? » demande-t-elle à son compagnon.

Olivier hausse les épaules avec une moue d'incertitude.

« Je vois que dalle... Faudrait une autre photo, où il ne fasse pas cette tête ! »

Il rend le Polaroïd à sa propriétaire et ajoute paisiblement :

« De toute façon, si ta mère dit qu'ils sont marron, tu peux la croire, non ? Elle le sait quand même mieux que personne ! »

C'est la récréation. Assis sur un muret tout au fond de la cour, Charlotte et Olivier font bande à part. Tandis que leurs camarades vont et viennent sous les arbres, jouent à la marelle, poursuivent un ballon ou discutent, eux tentent de résoudre un drôle de problème.

« Mais pourquoi, quand je rêve de lui, ses yeux sont bleus ? » répète Charlotte pour la vingtième fois au moins.

Olivier refrène un geste d'impatience.

« Moi, je rêve très souvent que je vole, mais c'est pas pour ça qu'il me pousse des ailes ! »

La boutade n'arrache même pas un sourire à Charlotte. Elle est bien trop préoccupée !

« N'empêche que s'il avait vraiment les yeux bleus, comme ma mère, ben moi, je devrais les avoir bleus aussi ! » s'obstine-t-elle.

Thierry, qui passait par là, a surpris la fin de la phrase.

« Si ça se trouve, ton père, c'était même pas ton père ! » pouffe-t-il un peu méchamment.

Le visage de Charlotte se décompose.

« Pauvre nul ! » lui crache-t-elle.

Et Olivier d'ajouter aussi sec :

« Fiche-nous la paix ! Casse-toi, on ne t'a rien demandé ! »

Thierry est susceptible. S'il aime taquiner les autres, il n'apprécie pas du tout qu'on lui rende la pareille. Rageusement, il arrache la photo des mains de Charlotte et fait mine de se sauver. Aussitôt, Olivier se jette sur lui.

Une belle mêlée s'ensuit comme toujours, la bagarre attire les curieux. Bientôt, un groupe compact entoure les combattants, et les encouragements fusent de toutes parts :

« Vas-y, Thierry, ne te laisse pas faire !

— Casse-lui la figure !

— Tiens bon, Olivier ! »

L'instit, averti par Charlotte, s'empresse de séparer les combattants.

« Arrêtez immédiatement ! Ce n'est pas un ring, ici ! »

Solidement maintenus hors de portée l'un de l'autre, Thierry et Olivier n'en poursuivent pas moins les hostilités, par échanges verbaux.

« Sale voleur, tu vas me le payer ! braille Olivier.

— Essaie un peu, et je t'abîme le portrait. Même ta mère ne te reconnaîtra pas !

— Voulez-vous bien vous taire ! » s'emporte Victor.

Son ton est si autoritaire — une fois n'est pas coutume ! — que les gamins obtempèrent. Mais tout n'est pas arrangé pour autant. Charlotte a encore des comptes à régler avec Thierry.

« Rends-moi ma photo, espèce d'idiot ! » réclame-t-elle.

Thierry, que le jeu n'amuse plus, jette le cliché par terre avec un mépris non dissimulé.

« Tiens, la voilà ta photo pourrie ! »

Le Polaroïd atterrit aux pieds de l'instit qui le ramasse, y jette un coup d'œil, puis le tend gentiment à Charlotte. C'est alors qu'il s'aperçoit que celle-ci est en larmes.

« Eh bien, ma grande, qu'est-ce qui t'arrive ? » s'étonne-t-il.

Mais la brunette ne répond pas. Serrant son trésor sur son cœur, elle s'enfuit. Bientôt, sa jupe claire disparaît dans les profondeurs du jardin.

L'heure suivante est consacrée à la dictée. Penchés sur leurs cahiers, les élèves écrivent. Victor passe entre les bancs en lisant à voix haute.

« Le soleil... Le soleil se couchait sur la plaine endormie... Point. J'entendis derrière moi un pas lourd et me retournai. J'entendis... derrière moi... un pas lourd... et me retournai. Point. »

S'approchant de Charlotte, il constate qu'elle fixe avec attention la photo de son père, posée contre sa trousse. À peine froissé par sa mésaventure de tout à l'heure, l'homme sourit toujours, imperturbable, devant son pan de mer. Le souvenir, vieux de six ou sept ans, surgi intact du passé par la magie de la photographie, semble réellement obséder la fillette.

« Ça va mieux ? » lui glisse Victor en se penchant sur elle.

Un peu honteuse — et comme prise en faute —, Charlotte s'empresse d'enfouir le rectangle de papier glacé dans son sac à dos.

Chapitre 5

« Salut, mamie ! »

Charlotte file en courant vers la vieille dame, qui lui ouvre les bras. Toutes deux s'embrassent avec tendresse.

« Bonjour, ma poulinette ! Il y avait long-temps qu'on ne s'était pas vues, hein !

— Trois jours ! pouffe Charlotte.

— Ça fait trois jours de trop ! »

Elle est vraiment adorable, mamie. Ado-rable, il n'y a pas d'autre mot. Aussi frêle et menue que Claire, avec en plus un tas de petites rides rigolotes et des cheveux qui res-semblent à de la barbe-à-papa. Comme c'est une grand-mère moderne, elle porte des pan-talons, des tennis et une veste de sport. D'allure, on lui donnerait trente ans, et sa petite-fille n'est pas peu fière de se promener avec elle, en la tenant par le bras comme une copine !

« Tu m'emmènes goûter chez toi ? se réjouit la brunette.

— Et ton entraînement ?

— Tant pis pour l'entraînement, aujourd'hui je fais relâche ! »

Une convoitise silencieuse anime le visage fripé de la vieille dame, et elle montre le paquet qu'elle tient à la main. De toute évidence, un emballage de pâtisseries.

« Éclair au chocolat, religieuse et mille-feuilles, ça te convient ?

— Miam miam ! » applaudit Charlotte.

Serrées l'une contre l'autre, elles prennent le chemin du centre ville, où mamie habite une jolie maisonnette entourée d'un jardin fleuri.

Quelques instants plus tard, assises sur la terrasse au milieu des rosiers, elles grignotent toutes deux avec gourmandise. La théière fumante, posée sur son napperon de dentelle, répand un délicieux parfum de bergamote, et dans sa cage, Titi le canari s'égosille. Il doit aimer les bonnes odeurs. À moins que ce ne soient les miettes de gâteau dont il s'est régalé qui lui mettent le cœur en fête.

« Mamie ? dit Charlotte, la bouche pleine.

— Oui, ma chérie ?

— Tu l'as connu, toi, papa ? »

Dans les yeux lavande de la vieille dame passe une sorte de gêne. « Oui, évidemment ! Quelle question !... Tiens, à ce propos, avant que je n'oublie, j'ai quelque chose pour toi ! »

Elle se lève et rentre dans la maison. Charlotte l'entend fouiller dans le grand vaisselier qui contient tout, sauf de la vaisselle : des livres d'images, des jeux, des photos fanées, des boîtes pleines de boutons, de bobines multicolores et de fleurs artificielles... Des trésors de grand-mères, quoi !

L'instant d'après, elle réapparaît, tenant un carton plat, grisâtre, et scellé par du Scotch.

« J'ai retrouvé ça au grenier, ça appartenait à ta maman.

— Qu'est-ce que c'est ?

— Une surprise ! Tu l'ouvriras chez toi... »

Avec un sourire malicieux, elle glisse le carton dans le sac à dos de sa petite-fille, puis se réinstalle.

L'intermède étant terminé, Charlotte reprend le cours de ses préoccupations.

« Moi, papa, je ne m'en souviens plus beaucoup... »

Mamie prend le temps de terminer son éclair avant de répondre :

« C'est normal : tu avais à peine quatre ans quand il est mort !

— Je me rappelle juste qu'il avait de grands yeux... »

« Pirouli-piroula », fait le canari, ivre de lumière. Sous la caresse du soleil, les pétales de roses ont des reflets de velours. Dans la ruelle passe un chien errant, la truffe collée au trottoir.

Charlotte inspire profondément, comme lorsqu'on s'apprête à plonger dans une piscine.

«... de grands yeux bleus, de la couleur du ciel ! »

Imperceptiblement, mamie rougit.

« Mais non, tu te trompes ! rectifie-t-elle un peu trop vivement. De grands yeux noisette, les mêmes que les tiens ! »

Elle a l'air si sûre d'elle que les doutes de Charlotte s'envolent.

« C'était vraiment un être formidable, tu sais ! poursuit la vieille dame, avec une soudaine volubilité. Il s'occupait tellement bien de toi ! Déjà six ans qu'il nous a quittées... Il me semble que c'était hier ! »

Elle pousse un gros soupir.

« Le temps passe si vite... Quand je pense que dans une semaine, tu auras dix ans ! »

Ça, c'est un sujet qui intéresse tout particulièrement Charlotte !

« Paraît que pour cet anniversaire-là, on a droit à un cadeau particulièrement gros ! » signale-t-elle.

Le rire de mamie, qui s'élève dans la douceur du soir, fait concurrence aux trilles du canari.

*
* *

La première chose que fait Charlotte en rentrant chez elle, c'est de regarder le contenu de la boîte.

« Oh, chouette, un puzzle ! »

Cinq minutes plus tard, la fillette, à quatre pattes sur la moquette, commence l'assemblage.

Elle est plongée dans l'examen minutieux des fragments de carton lorsque sa mère rentre, portant une brassée de fleurs cueillies au jardin.

« Qu'est-ce que tu fais, ma chérie ? »

Trop absorbée, Charlotte ne répond pas. Claire s'approche.

« Mais... C'est à moi, ça ! s'étonne-t-elle. Où as-tu récupéré ce vieux machin ?

— Mamie me l'a donné tout à l'heure.

— Cinq cents pièces... Je l'avais reçu

pour le Noël de mes... treize ans, je crois, se rappelle Claire avec un peu de nostalgie.

— Et tu es arrivée à le faire ?

— Pas jusqu'au bout, j'avais perdu le modèle. Faut dire, la patience n'est pas mon fort ! »

La jeune femme pose ses fleurs sur la table et sort de la pièce. Un instant plus tard, elle revient, portant une coupe de métal argenté dans laquelle elle agence son bouquet.

« Mais... maman ! s'exclame Charlotte, choquée. Tu ne vas tout de même pas les mettre là-dedans ? »

Claire secoue avec désinvolture sa courte tignasse de grand garçonnet.

« Pourquoi pas ? C'est sympa comme ça, non ? »

Elle lit l'inscription sur le trophée :

Championnat régional d'Anjou 1969, premier prix. Bah, de la vieille histoire...

« Si un jour, je gagnais une coupe comme celle-là, je la mettrais à la place d'honneur, tu peux me croire ! »

Un soupir :

« Mais ce serait trop beau... »

Abandonnant ses fleurs, Claire s'empresse d'embrasser sa fille.

« Tu la gagneras, va ! Celle-là et toutes les autres ! »

Elles se regardent avec complicité.

« C'est pas notre faute si..., commence la jeune femme.

— ... le virus de l'équitation..., poursuit Charlotte en riant.

— ... on a ça dans le sang, chez les Renan ! » achèvent-elles toutes deux en chœur, suivant un rite dont l'origine se perd dans la nuit des temps.

Au même instant, la vieille horloge du hall égrène sept coups.

« Mon Dieu, déjà ? s'effare Claire en filant vers la cuisine. Il faut que je prépare le dîner ! Tu mets la table, ma cocotte ? »

Un peu à regret, Charlotte abandonne son puzzle. Tout en sortant les assiettes et les verres du placard, elle remarque, mine de rien :

« Moi, je le trouve canon, le père d'Olivier... Pas toi ? »

Un temps. Claire remplit une casserole d'eau, y ajoute une grosse pincée de sel, et la pose sur le feu.

« Euh... si, si... Il est très gentil...

— "Canon", ça ne veut pas dire "gentil" ! réplique ironiquement Charlotte. Ça veut dire beau, intelligent, craquant, tout ça, quoi ! »

Claire esquisse un léger sourire, mais ne

répond pas. Charlotte dispose soigneusement fourchettes et couteaux de part et d'autre des assiettes.

« En plus, c'est triste, parce que depuis que sa femme est partie, il vit tout seul, lui aussi... » poursuit-elle.

Un bras très tendre lui enlace les épaules.

« Pourquoi "lui aussi" ? demande doucement sa mère.

— Ben... comme toi, quoi ! »

Elle rigole : la bouche de Claire vient de s'égarer dans ses boucles brunes où elle dessine un itinéraire de bisous.

« Mais moi, je ne vis pas seule. Je ne t'ai pas dit que j'avais une fille, une adorable pupuce qui s'appelle Charlotte ? »

La fillette prend son air de « celle-à-qui-on-ne-la-fait-pas ».

« Mais enfin, maman, depuis que papa est mort — et ça fait drôlement longtemps, maintenant ! — t'as pas voulu... enfin, tu n'a jamais pensé à... »

Elle cherche le mot exact, un mot qui ne risque pas de blesser la sensibilité de sa mère. Mais c'est inutile : celle-ci a parfaitement compris où elle voulait en venir.

« Dis donc, tu ne chercherais pas à me caser, toi, par hasard ? »

Indignation de Charlotte :

« Mais pas du tout ! Je voudrais juste que tu sois heureuse avec quelqu'un... C'est vrai, tu es encore bien conservée, pour ton âge ! »

Avec un éclat de rire attendri, Claire se jette sur sa fille et la dévore de baisers.

Chapitre 6

Des fois, c'est marrant de se prendre pour un cow-boy. Assis nonchalamment sur la barrière du manège, un brin d'herbe à la bouche, dans l'exacte position de Lucky Luke devant un rodéo, Olivier assiste à l'entraînement de sa copine.

La réverbération l'oblige à plisser les paupières, si bien qu'il n'aperçoit plus le spectacle qu'à travers l'ombre de ses cils.

Sur l'étendue dorée des champs, Vénus galope, crinière au vent. Le soleil rasant fait luire sa robe blanche tachetée de noir, animée par une musculature souple et puissante. La jeune cavalière, parfaitement à l'aise, évolue au rythme de sa monture. Leurs mouvements donnent une telle impression d'harmonie qu'elles semblent, par instants, ne former qu'un seul être.

Le cheval s'arrête. D'une main lasse,

Charlotte retire sa bombe pour s'éponger le front. Sous ses boucles en désordre qu'alourdit la transpiration, elle sourit.

« Regarde qui voilà ! » dit-elle à Olivier, lui montrant le sentier qui louvoie entre les prés.

Le garçon se retourne et sourit à son tour. Victor, à cheval, s'approche au pas.

« Pourquoi ne venez-vous jamais sur le terrain, m'sieur ? s'étonne Charlotte. Vous n'aimez pas le jumping ?

— Pas vraiment, non. Je préfère la promenade... »

D'un large geste, il désigne la campagne alentour.

« Surtout dans un paysage comme celui-ci !

— Je peux venir avec vous ? J'en ai un peu marre de m'entraîner.

— D'accord, mais pas longtemps : ça sent l'orage. »

Des nuages menaçants s'amassent, en effet, vers l'ouest. Le vent, qui s'est levé, charrie ces tourbillons grisâtres dont la masse s'assombrit de minute en minute.

« Attendez-moi, leur jette Olivier en sautant de la barrière, je vous accompagne ! »

Au pas de course, il prend la direction du garage pour réapparaître, l'instant d'après, chevauchant son VTT. À la queue leu leu, les deux cavaliers et le cycliste s'engagent sur un petit chemin de terre longeant la propriété.

« Tu ne montes pas à cheval, Olivier ? » interroge l'instit.

En riant, le garçon tapote le cadre de son vélo :

« Oh non, moi, je préfère mon "canasson d'acier" !

— Remarque, c'est plus simple, concède Victor : tu n'as pas besoin de le brosser tous les jours ! »

Charlotte fronce comiquement son joli petit nez.

« Peut-être que ça donne moins de travail, mais un tas de ferraille, ça ne vit pas ! »

D'une main très tendre, elle caresse l'encolure frémissante de sa jument.

« Tandis que ma Vénus... Elle est chaude, elle est douce. Quand on galope, je la sens respirer, et c'est comme si on s'envolait, toutes les deux !

— Pas la peine de faire ta maligne, va ! rétorque Olivier, piqué au vif. T'es même pas capable de sauter le "mur rouge" ! »

Il tend le doigt vers un amas de pierres à demi éboulées. Vestige de quelque construction depuis longtemps détruite, le « mur rouge », comme on l'appelle dans la région, ne fait pas plus d'un mètre cinquante de haut. Il délimite une sorte de parc retourné à l'état sauvage. Ronces, orties et herbes folles l'envahissent presque jusqu'au faîte, s'insinuant dans la maçonnerie, s'incrustant entre les moellons descellés, couvrant la ruine d'un treillis végétal aux mailles si serrées qu'il semble illusoire de chercher à s'en approcher.

« Évidemment ! s'écrie Charlotte. Je suis pas zinzin ! »

Victor a ralenti sa course et examine pensivement le site lugubre.

« Tu as raison, approuve-t-il, c'est dangereux !

— Pire que ça, reprend Olivier : tout le monde dit que cet endroit est maudit. On l'appelle le "mur rouge" parce qu'il y a des années, une fille du pays a essayé de le franchir. Son cheval s'est cassé les jambes en retombant, et l'a désarçonnée. Elle s'est écrasée sur les pierres. Toute la nuit, le cheval a henni, mais personne ne l'a entendu, sauf une vieille qui n'a pas osé venir à leur secours. Le matin, les gens du village ont trouvé les deux cadavres, et on raconte que depuis, sous les plantes qui le recouvrent, le mur est resté tout rouge de sang.

— Brrr..., frissonne l'instit. Elle n'est pas gaie, dis donc, ton histoire, et... »

Un craquement de tonnerre l'interrompt.

Inquiets, les chevaux renâclent. Celui de Victor s'ébroue nerveusement.

« On ferait bien de rentrer si on ne veut pas prendre une douche ! » dit Charlotte, le nez pointé vers le ciel obscur.

Stimulée par les petits coups d'étrier de sa cavalière, Vénus prend bientôt la tête de la troupe, d'un trot allègre. Le vélo d'Olivier la suit de près. Distancé, l'instit se retrouve quelques mètres en arrière.

« Et maintenant, qu'est-ce qu'on fait pour... ce que tu sais ? glisse Olivier à sa compagne.

— À toi de jouer, mon pote ! » lui répond celle-ci d'un air énigmatique.

Chapitre 7

À présent, il fait presque noir. Les nuages accumulés dans le ciel — un ciel si bas qu'il semble sur le point d'écraser la terre — forment une sorte de crépuscule, strié d'éclairs. Les grondements du tonnerre sont si rapprochés qu'ils créent un bruit de fond quasi permanent, un roulement de tambour venu des quatre points cardinaux.

Soulagés, Victor et Charlotte regagnent leurs écuries respectives.

Une fois son cheval entre les mains du palefrenier, l'instit se hâte vers la maison, lorsque...

Un garnement, accroupi à côté de la voiture garée dans la cour s'adonne à une curieuse occupation. Il n'a pas l'air d'avoir la conscience tranquille !

Intrigué, l'instit s'approche sans bruit.

Persuadé que personne ne le voit, Olivier achève de dégonfler un pneu.

Victor se plante derrière lui, les sourcils froncés.

« Ce n'est pas très intelligent ce que tu bricoles là, mon grand ! » dit-il d'un ton sévère.

Le garçon, pris en flagrant délit, lève vers Novak un visage rouge de confusion.

« Je... Je... » bredouille-t-il.

Puis il fait signe à Victor de se rapprocher et lui glisse à l'oreille :

« C'est la voiture de la mère de Charlotte. Je fais ça pour que mon père l'aide à la réparer. Comme ça, elle le trouvera gentil, et peut-être que... »

Ah bon, c'est pour la bonne cause ! Devant cette ruse naïve, l'instit ne peut s'empêcher de sourire.

Au même instant, Claire et Charlotte sortent du bâtiment principal. Olivier met un doigt sur sa bouche :

« Chut ! Vous ne direz rien, hein, m'sieur ? »

Bras dessus bras dessous, la mère et la fille s'approchent de la voiture. Apercevant Victor, Claire a un gracieux mouvement de tête.

« Je suis contente de vous voir, monsieur Novak ! s'écrie-t-elle. Charlotte n'arrête pas de me parler de vous... Tout va bien, en classe ? »

Avant que l'instit n'ait le temps de répondre, Olivier s'interpose :

« Vous avez vu, m'dame Renan ? Votre pneu est à plat ! »

Sur le visage de la jeune femme, une grimace de contrariété remplace aussitôt le sourire.

« Oh non, encore ! »

Elle fait le tour du véhicule pour constater l'ampleur des dégâts. L'instit, qui la suit de près, confirme gravement :

« Pour une belle crevaison, c'est une belle crevaison ! À mon avis, il va falloir changer la roue... »

Ça, ce n'est ni plus ni moins un acte de complicité ! Tout heureux de la tournure que prennent les événements, Olivier pousse Charlotte du coude.

Les poings aux hanches, Claire contemple son pneu avec consternation.

« La dernière fois que ça m'est arrivé, j'ai eu un mal fou... » grogne-t-elle.

Ses yeux bleu lavande jaugent l'instit.

« Je ne voudrais pas abuser, mais... euh... pourriez-vous me donner un petit coup de main ? »

Comme chaque fois qu'il est perplexe, le sourcil gauche de Victor grimpe à l'assaut de son front.

« Euh... Vous savez, j'ai surtout l'habitude des motos... » répond-il sans empressement.

Charlotte et Olivier échangent une moue inquiète. Tandis que Claire fouille dans son coffre pour en sortir le matériel de dépannage, l'instit leur fait un signe d'impuissance.

« Vous pourrez vous débrouiller avec ça ? demande la jeune femme, en lui tendant un cric et une manivelle.

— Je vais essayer... Mais je ne garantis pas le résultat ! »

Avec une mauvaise grâce évidente, il examine les outils, essaie maladroitement de les emboîter.

« Vous êtes sûre que ça va ensemble, ces trucs-là ? »

Il se baisse, fait mine d'installer le cric... puis se redresse, en grimaçant de douleur.

« Aïe ! Je me suis pincé le doigt !

— Heureusement que vous êtes enseignant et pas garagiste ! » soupire Claire, mi-figue mi-raisin.

Olivier et Charlotte étouffent un fou rire.

« Eh bien ? Que se passe-t-il ici ? » fait soudain une voix derrière eux.

C'est Philippe que, dans l'effervescence du « dépannage », personne n'a entendu arriver. En le voyant, Victor s'épanouit.

« Ah, vous, on peut dire que vous tombez à pic ! Vous savez comment ça marche, cet engin ? »

Avec un clin d'œil de connivence aux enfants, il lui tend le cric. C'est très exactement à cet instant que les premières gouttes de pluie se mettent à tomber.

« Rentrez vite, les gosses ! » s'écrie l'instit en les entraînant vers la maison.

À mi-chemin, il se retourne et jette, en direction de Claire et Philippe :

« Je vais avec eux, inutile qu'on soit trois à s'enrhumer ! »

Claire n'a, de toute évidence, pas apprécié son numéro. Avec un haussement d'épaules exaspéré, elle s'agenouille près de Philippe, déjà en plein travail.

*
* *

« Alors, ils en sont où ? » demande Victor qui prépare activement le goûter.

Olivier et Charlotte ont le nez collé à la fenêtre de la cuisine, qui donne directement sur la cour. Des rafales de pluie fouettent rageusement les carreaux, rendant la visibilité difficile.

« Ça y est, ils se mettent à l'abri dans la voiture, annonce la brunette.

— L'ennui, c'est que maintenant, on ne voit plus rien », déplore son compagnon.

Effectivement, derrière les vitres du véhicule couvertes de buée, il est impossible d'apercevoir quoi que ce soit.

« Peut-être qu'ils s'embrassent ? » suggère Olivier, plein d'espoir.

Le doigt de Charlotte tournicote sur sa tempe, entre les tortillons noirs que l'humidité fait frisotter.

« T'es fou, toi ! Qu'est-ce que tu crois ? Ma mère n'est pas du genre à craquer tout de suite !

— Dans les films, l'homme et la femme se rencontrent et crac, la scène d'après, ils font l'amour !

— Mais nos parents ne sont pas des acteurs de cinéma. Ce sont des vraies personnes ! »

Victor les écoute, amusé, tout en versant du chocolat fumant dans les bols.

« En ce moment, nous en sommes à la scène du goûter ! remarque-t-il. Alors... à table, c'est prêt »

À regret, les deux enfants abandonnent leur poste d'observation.

*
* *

Il n'a pas fallu cinq minutes pour que Claire et Philippe soient trempés de la tête aux pieds.

« Brrr ! » grelotte la jeune femme dont les cheveux dégoulinent sur le visage et dans le cou.

Sous le tee-shirt qui lui colle à la peau, ses bras sont hérissés de chair de poule. Philippe ne vaut guère mieux : sa chemise est à tordre et on dirait qu'il a plongé la tête dans une baignoire. Une fois les portières refermées, ils se regardent et éclatent de rire.

« Quelle douche ! pouffe Claire en s'ébrouant, un peu à la manière des chiens.

— Tu parles, Charles ! T'as choisi ton jour, toi, pour tomber en panne ! »

Des trombes d'eau assaillent le pare-brise. Histoire d'y voir un peu plus clair, Philippe actionne les essuie-glaces. Peine perdue : après deux trois allers-retours laborieux, ceux-ci s'immobilisent piteusement.

« Saleté de bagnole ! grogne-t-il. Elle tombe en morceaux !

— Je te signale qu'il y a plus d'un an que tu dois changer les balais ! susurre Claire, sur un ton de reproche gouailleur.

— Tu as raison... C'était à notre première rencontre... »

Cette évocation fait planer dans l'habitacle un parfum de nostalgie.

« Eh oui, un an, déjà... » soupire Claire, en laissant glisser sa tête sur l'épaule de son compagnon.

Comme s'il n'attendait que ça, Philippe l'enlace. Elle se blottit, frissonnante, et ajoute, très bas :

« Un an que M. Mazière et Mme Renan se fréquentent à l'insu de tous, et même de leurs enfants...

— Justement, tu ne crois pas qu'il serait temps de leur dire ? »

Claire ne répond pas. Elle se mord les lèvres.

« Je ne te comprends pas, insiste Philippe. Ils n'attendent que ça, nos deux loupiots, que l'on vive ensemble. Et toi, tu t'obstines à vouloir garder notre relation secrète... Pourquoi ? »

Éludant la question, la jeune femme se serre contre lui.

« J'ai froid, mon amour », chuchote-t-elle seulement.

*
* *

«... Comme ça, on habiterait ici tous les quatre... Ce serait hyper cool ! »

Il y a de la lumière dans les yeux d'Olivier. Novak approuve d'un hochement de tête.

« On serait une vraie famille, poursuit Charlotte, rêveuse. Vous n'avez pas de famille, vous, m'sieur ? »

Le visage de l'instit s'assombrit d'un seul coup. Il se lève, ramasse la vaisselle sale, la dépose dans l'évier.

« Si, bien sûr..., murmure-t-il après un long silence. Seulement... je ne les vois pas très souvent.

— À cause de votre travail ? »

Le jet du robinet dilue les restes de cacao au fond des bols.

« Oui, ma grande... À cause de mon travail... »

Il a dit ça d'un ton si triste — et qui lui ressemble si peu — que les deux enfants, troublés, s'interrogent du regard. Ce qu'ils viennent d'entrevoir, l'espace d'un éclair, les dépasse. C'est du domaine des adultes. Un rideau levé sur une souffrance mystérieuse, et qui se rabat aussitôt...

Durant un instant, ils attendent une explication qui ne vient pas. Puis Charlotte dit doucement :

« M'sieur, samedi, c'est mon anniversaire. Ça me ferait plaisir que vous soyez avec nous... »

Chapitre 8

Dix bougies allumées couronnent le gâteau : une somptueuse génoise recouverte de chantilly et parsemée de vermicelles en sucre rose. Une vraie merveille.

Un tonnerre d'applaudissements salue l'apparition, et l'assemblée entonne l'air traditionnel de *Happy birthday to you* :

« Joyeux anniversaire, Charlotte ! »

Pour la circonstance, le salon a été soigneusement décoré. Guirlandes et lampions le transforment en une sorte de joyeuse guinguette. Autour de Charlotte, radieuse, sont rassemblés ceux qu'elle aime : Claire, mamie, Philippe, Olivier, et Victor Novak. Il ne manque que Vénus.

« Si tu souffles toutes tes bougies d'un coup, tu peux faire un vœu ! » annonce l'instit.

Les yeux vifs de Charlotte vont de sa

mère à Philippe. Il faudrait être aveugle pour ne pas deviner ce qu'elle souhaite ! Puis la fillette inspire une grande bouffée d'air et pfffff ! Au milieu des rires et des bravos, toutes les petites flammes s'éteignent.

Ravi, Olivier lève un pouce éloquent. Dans ce geste, il y a beaucoup de choses : leur complicité, leurs espoirs communs, leurs merveilleux projets d'avenir...

« Et les vœux, ils se réalisent ? s'enquiert le garçon.

— Toujours ! » assure gravement Victor.

« Pan ! » Le bruit du bouchon que Philippe vient de faire sauter semble ponctuer cette affirmation. L'instant d'après, toutes les coupes de champagne se lèvent en l'honneur de la reine de la fête.

« Qu'est-ce que tu caches derrière ton dos, maman ? » demande Charlotte, le nez dans les bulles.

Le manège de sa mère ne lui a pas échappé. Normal : depuis un moment, elle la guette en douce. C'est qu'elle attend encore quelque chose, la petite Charlotte. Le plus important de tout : son cadeau !

« Bon anniversaire, ma chérie ! »

L'enveloppe que brandit Claire est entourée d'un gros ruban rouge. Avec un cri de joie, la fillette s'en empare.

‹ Qu'est-ce que c'est ?

— Une surprise ! gazouille mamie.

— On s'y est mises à deux pour te l'offrir », précise Claire, avec une œillade attendrie à sa mère.

L'enveloppe contient deux billets d'avion.

« Mais... Je ne comprends pas..., murmure Charlotte, interdite.

— Pour Prague... Ça ne te dit rien, Prague ? » s'esclaffe Philippe.

D'un seul coup, la fillette réalise. Une joie subite lui empourpre les joues.

« Là où il y a les championnats de jumping ?

— Tout juste, Auguste ! »

Charlotte se rue dans les bras de Claire et la couvre de baisers.

« Merci, maman ! Merci ! Tu es géniale !

— On ira toutes les deux, entre filles ! »

Rien n'est plus communicatif que la joie. Devant celle de l'héroïne de la fête, tout le monde rayonne. Soudain la sonnette retentit. Claire sursaute.

« Tiens ? Qui peut bien venir à cette heure ?

— Tu as invité quelqu'un d'autre, maman ? s'étonne Charlotte.

— Non... Victor, ça vous ennuierait de couper le gâteau pendant que je vais voir ? »

Docilement, l'instit s'empare du couteau que lui tend la jeune femme.

« Et attention à vos doigts, hein ! » le taquine-t-elle.

Novak entreprend aussitôt de trancher les parts, sous le regard admiratif de mamie.

« Vous savez, de mon temps, l'instituteur, c'était quelqu'un ! se souvient la vieille dame. On pouvait compter sur lui en toute circonstance !

— Ça n'a pas changé, la preuve ! » répond sentencieusement Victor en lui tendant une portion de gâteau.

Déjà, Claire réapparaît, un colis à la main.

« C'était le facteur, et devinez ce qu'il apportait ? »

Elle cherche Charlotte des yeux.

« Ma-de-moi-selle-Char-lotte-Re-nan, déchiffre-t-elle sur le paquet, avant de le lui tendre.

— Encore un cadeau, je parie ! T'as un sacré bol ! s'exclame Olivier.

— Et ça vient de Strasbourg ! roucoule la fillette.

— Les parents de son père », explique Claire à l'instit.

Du coup, le gâteau est délaissé. Seule mamie-la-gourmande savoure le sien sans s'occuper de personne. Tout le monde entoure Charlotte, qui déchire l'emballage avec une hâte fébrile.

« Et moi qui me demandais s'ils allaient y penser..., glisse Claire à Victor.

— Vous êtes brouillés ?

— Pas du tout, mais comme on vit très loin les uns des autres, forcément, on ne se voit pas beaucoup... »

À l'intérieur du carton de la Poste se trouve un objet rectangulaire et plat, enveloppé de papier doré. Charlotte l'extirpe d'une main que l'impatience fait trembler.

« C'est pire que les poupées russes, dis donc ! » s'esclaffe Philippe.

Une lettre tombe par terre. Claire la ramasse, l'ouvre, et tandis que sa fille déballe son cadeau, lit tout haut :

« Ma chérie, nous pensons très fort à toi et te souhaitons un joyeux anniversaire. Ce que nous t'envoyons a une très grande valeur sentimentale : c'est un portrait de ton papa, qui été fait à l'occasion de ses dix ans... »

L'expression de Claire a changé au fil de la lecture. Elle semble effrayée et son regard exprime une réelle inquiétude. Victor l'observe avec étonnement. Philippe également.

Charlotte déchire précipitamment les derniers lambeaux de papier cadeau. Un cadre apparaît, à l'envers, la photo tournée vers les invités.

« Attends, Charlotte ! Attends ! » s'écrie Claire, éperdue.

Elle veut arracher l'objet des mains de sa fille, mais celle-ci, croyant à une farce, se sauve en riant. Arrivée à l'autre bout de la pièce, elle retourne le cadre et se fige.

Cet enfant, c'est son père. Un jeune garçon cravaté et bien peigné, comme on en voit dans la vitrine des vieilles boutiques de photographes. Mais ce qui frappe de prime abord, ce n'est ni l'allure un peu compassée du modèle, ni son sourire artificiel ; ce sont ses yeux. Des yeux d'un bleu lumineux, que le cliché en couleur fait ressortir de manière éclatante.

Et ces yeux-là hypnotisent Charlotte.

Longtemps, elle les fixe. De joyeux qu'il était, son visage est devenu grave, puis tragique. Comme si la profonde réflexion suscitée par la photo l'amenait à un terrible constat.

Autour d'elle, personne ne dit mot. Le teint de Claire est d'une pâleur de cire. Mamie a posé la main sur sa bouche, comme pour étouffer un cri.

Tout à coup, le cadre glisse des mains de Charlotte, tombe par terre et se brise.

« Menteuse ! » lance la fillette.

C'est à sa mère qu'elle s'adresse. Une grimace de mépris déforme sa bouche.

« Menteuse ! » répète-t-elle, tournée, cette fois, vers sa grand-mère.

Elle serre les poings, en proie à une rage subite. Sous les boucles brunes, son minois s'est mué en un masque implacable.

« Menteuses ! Menteuses ! Je vous déteste ! » hurle-t-elle, avant de faire volte-face et de filer vers sa chambre.

La scène a laissé les spectateurs sans voix. D'instinct, Olivier s'est rapproché de son père. Philippe a les sourcils froncés et les lèvres pincées. La bouche de mamie tremble comme celle d'une petite fille que l'on a grondée.

Dans un silence de mort, Claire se laisse tomber sur une chaise, les jambes coupées.

« Ça devait arriver un jour, je le savais... » chuchote mamie en s'essuyant les yeux.

Et Olivier de conclure, d'une petite voix étranglée :

« Bien vrai... C'est le plus moche anniversaire que j'aie jamais vu ! »

Chapitre 9

« Tu ne joues pas dans la cour, Charlotte ? Olivier va s'ennuyer, sans toi... »

La fillette hausse les épaules et reste cloîtrée dans son mutisme. Elle n'a pas ouvert la bouche de la matinée. De plus, elle a une mine de papier mâché. Joues pâlottes, cernes mauves... La soirée d'hier a laissé des traces !

Avec beaucoup de douceur, l'instit s'assied près d'elle et lui relève le menton.

« Tu n'as rien à me dire, Charlotte ? demande-t-il. Ça fait du bien, pourtant, de parler à un ami quand quelque chose ne va pas... »

Nouveau haussement d'épaules, mais Charlotte faiblit. Les questions sans réponses ne demandent qu'à sortir.

« Et je suis ton ami, tu le sais ! » insiste Victor.

Entre deux sanglots, la fillette libère, d'un coup, son angoisse :

« Pourquoi elles m'ont menti, m'sieur Novak ? Pourquoi ? »

L'instit laisse passer le gros de l'orage puis, voyant que Charlotte se calme peu à peu, répond lentement :

« Le leur as-tu seulement demandé ? »

— Non, réplique Charlotte, le front plissé et douloureux.

— Ta maman n'est pas montée te voir, après notre départ ?

— Si, mais j'ai fait semblant de dormir...

— Pour quelle raison ? »

La fillette prend son air mauvais :

« Je ne parle pas aux menteuses !

— Alors, tu ne sauras jamais la vérité !

— Mais vous, m'sieur, vous ne la savez pas, la vérité ? Ma mère ne vous l'a pas dite ? »

D'une main affectueuse, l'instit caresse les mèches rebelles qui s'entortillent comme des serpents luisants autour de ses doigts.

« Non, Charlotte... Mais ce que je sais, c'est qu'elle t'aime énormément. Et ça, quoi qu'il arrive, quels que soient les incompréhensions qui vous séparent, c'est l'essentiel. »

Charlotte n'est pas convaincue, pas

convaincue du tout. Elle pique du nez vers son pupitre.

« Quand on aime vraiment quelqu'un, on lui dit la vérité, proteste-t-elle. Ou alors, c'est pas de l'amour. »

Cette logique si simple et si évidente touche l'instit.

« Tu as raison, bien sûr. Mais... il peut arriver que l'on mente par amour. J'ignore les raisons de ta mère, mais je suis certain que, si elle a agi ainsi, c'est qu'elle croyait sincèrement bien faire. Ne la juge pas sans chercher à comprendre... Mieux : fais-lui confiance. Ça aussi, c'est une preuve d'amour. »

Novak a mis tant de foi dans ses paroles, tant de conviction, que la fillette ébauche un faible sourire.

*
* *

À quatre heures, en sortant de l'école, surprise ! La voiture de Claire attend dans la rue.

Trois réactions simultanées — et contradictoires — saluent cet événement d'une rareté exceptionnelle. Celles de Charlotte, de Victor et d'Olivier.

La figure du garçon s'allonge.

« Oh flûte ! ronchonne-t-il. Tu ne vas pas venir t'entraîner chez moi, alors ? »

Le visage de Charlotte, en revanche, s'éclaire. Elle jette un regard indécis à l'instit qui lui souffle d'un air encourageant :

« Et ça, ce n'est pas une preuve d'amour ? »

En trois enjambées, la fillette rejoint sa mère.

« Comment ça se fait que tu es venue me chercher ? Tu devrais être au bureau, normalement ! » s'écrie-t-elle, en ouvrant la portière.

Claire semble avoir maigri. Ses traits tirés accentuent encore ses pommettes hautes et ses joues creuses d'éternelle adolescente, et font paraître plus larges ses yeux lavande. Dans un élan de tendresse, sa fille se jette contre elle.

« J'ai quitté mon travail en avance, dit la jeune femme. J'avais envie d'être près de toi... »

Elle met le contact et enclenche la première.

« Ce qui s'est passé hier m'a... démolie ! » ajoute-t-elle, fixant la route devant elle.

Le cœur battant, Charlotte attend la suite. Une explication qui mettra fin à son trouble, à ses doutes. Mais l'explication ne vient pas.

Seul le ronronnement du moteur trouble le silence.

« Pourquoi tu m'as menti ? » se décide à demander la fillette.

Des deux côtés de la route déserte, les champs défilent. Dorés, mais plus pour très longtemps. Dans quelques jours, les tracteurs les retourneront. Un soleil horizontal de fin d'après-midi titille le chaume que des mottes de terre noire remplaceront bientôt.

Claire est troublée. Sur son petit visage pointu passe une vague de désarroi.

« Ce... ce n'était pas un mensonge, ma chérie..., bredouille-t-elle. C'était un oubli... »

Charlotte bondit.

« Un oubli ? ! Tu ne te rappelais plus la couleur des yeux de ton mari ?

— Non, avoue la jeune femme à voix basse. Il y a si longtemps qu'il a disparu...

— Et mamie aussi avait oublié ?

— Euh... non, mais elle a dû se laisser convaincre quand on en discutait, toutes les deux... Tu sais, la couleur des yeux des gens, ce n'est pas très important. Ce qui compte, c'est leur regard... »

Elle s'exalte, à présent, devient passionnée.

« Vous avez le même regard, toi et lui. Un regard sans faiblesse, sans concession. Dur, même, parfois. J'ai fini par les confondre. Le regard de l'amour, c'était le vôtre, le tien. Mes souvenirs m'ont trahie... Lorsque je te regarde, ce sont ses yeux que je vois... »

Sous le coup de l'émotion, sa voix se brise. Elle toussote pour reprendre contenance et ajoute, dans un soupir :

« J'ai honte, tu sais... »

Le silence retombe. Touchée par le discours maternel, Charlotte réfléchit. Ainsi, ce n'était donc que ça : une défaillance de mémoire !

« Je te demande pardon, maman... »

Le bras de Claire lâche le volant, encercle les épaules de sa fille.

« Moi aussi, ma chérie, je te demande pardon. »

Elles se serrent très fort l'une contre l'autre.

« On s'en fiche de tout ça, murmure la fillette. L'important, c'est qu'on soit ensemble toutes les deux... »

Sa main effleure le ventre de sa mère, sur la toile bleue du jean.

«... et que je sois sortie de là-dedans ! »

La voiture ralentit et s'arrête sur le bas-côté. Difficile de conduire quand les larmes vous brouillent la vue !

Ce n'est qu'une fois rentrée à la maison, dans la solitude de sa chambre et au beau milieu d'un devoir de français, que la question surgit dans la tête de Charlotte. Une question toute bête, mais qui n'a pas de réponse :

« Mais alors... d'où vient la couleur de mes yeux ? »

Chapitre 10

« Sais-tu ce que j'ai appris, tout à l'heure ? » fait l'instit d'un air détaché.

Charlotte, occupée à sangler la selle de Vénus, esquisse un vague hochement de tête.

«... Que tu n'avais rien mangé depuis trois jours. C'est Mme Lesueur, la surveillante de la cantine, qui m'en a parlé. Elle se fait un sang d'encre pour toi. Il paraît que tu distribues tes repas à tes camarades. »

Dans l'écurie, il fait chaud et humide. Une mouche rescapée de l'été harcèle la jument, voletant autour de ses naseaux et de ses yeux. Agacée, Vénus s'ébroue.

« Tout doux, ma belle..., l'exhorte tendrement Charlotte.

— Alors, qu'est-ce que ça veut dire ? » insiste Victor, sans se laisser distraire.

La fillette prend le temps de chasser

l'indésirable insecte avant de répondre, avec une mauvaise foi notoire :

« C'est parce que je fais un régime. Mon concours est dans deux semaines, et je suis trop grosse. »

L'instit n'est pas dupe.

« De qui te moques-tu ? rétorque-t-il aussi sec. Tu espères me convaincre que, pour Vénus, porter quelques grammes de plus ou de moins, ça fait une différence ? »

Du coup, Charlotte change de tactique.

« Faut pas vous inquiéter, m'sieur ! se radoucit-elle. À la maison, je mange des tonnes de céréales !

— C'est bien vrai ce mensonge ?

— Croix de bois, croix de fer ! »

Un silence. Vénus, qui s'impatiente, racle le sol de sa jambe arrière. La mouche est revenue à l'assaut et vrombit en zigzaguant.

« Et avec ta maman, ça s'est arrangé ? » demande doucement l'instit.

Charlotte hausse les épaules, pleine d'une morne résignation.

« Elle a eu un trou de mémoire. Enfin... c'est ce qu'elle dit... » laisse-t-elle tomber, en entraînant son cheval vers la sortie.

L'instant d'après, elle trotte sur le terrain d'entraînement.

Accoudé à la barrière, Victor l'observe

d'un air préoccupé. Il ne reconnaît plus sa petite élève si vive dans cette cavalière maladroite, menant sa monture de manière désordonnée, négligeant son maintien et franchissant les obstacles sans conviction. En l'espace de quelques jours, la jeune championne semble avoir régressé d'une façon surprenante.

« Moi aussi, elle m'inquiète ! » fait une voix derrière lui.

Le même souci se lit sur les traits contrariés de Philippe.

« Elle manque de concentration, c'est évident... » renchérit l'instit.

Du bout de sa badine, Philippe tapote nerveusement le bois de la barrière.

« Quel gâchis ! Si elle ne se reprend pas — et vite ! — je ne pourrai pas la présenter au concours. Ce serait l'envoyer droit à l'échec ! »

*
* *

Après un saut plutôt raté, Charlotte se penche sur l'encolure de Vénus.

« Tu en as marre, hein ? lui chuchote-t-elle. Ça tombe bien, moi aussi ! »

Sans se préoccuper des signes que lui fait Philippe, à l'autre bout de l'enclos, elle pique un petit trot en direction de la campagne.

En chemin, elle rencontre Olivier qui mâchonne un brin d'herbe en regardant les nuages.

« Qu'est-ce que tu fiches ?

— Je m'embête... Tiens, à propos, t'es au courant pour mon père ?

— Quoi, ton père ? Qu'est-ce qu'il a encore fait ? grogne Charlotte.

— Ben dis donc, t'as encore l'air de mauvais poil... T'es vraiment pas marrante, en ce moment ! »

Un petit silence, puis :

« Mon père a invité ta mère demain soir. Ça y est, ma vieille ! »

Charlotte n'a pas la réaction escomptée : la nouvelle ne lui arrache même pas un sourire !

« Génial..., fait-elle mollement. Bon, t'es gentil, maintenant, tu me laisses passer, s'il te plaît.

— Attends-moi, je vais chercher mon vélo ! »

Le VTT est posé contre un arbre, à quelques pas. Mais le temps que le garçon l'enfourche, sa compagne est déjà loin.

« Charlotte ! Qu'est-ce que tu fiches ? Attends-moi ! » proteste-t-il à pleine voix.

Seul le galop de Vénus lui répond. Quelques secondes plus tard, la jument et sa cavalière disparaissent à l'horizon.

Olivier repose sa bicyclette, se laisse tomber dans l'herbe et reprend sa contemplation, une boule au fond de la gorge. Dans les nuages qui passent au-dessus de sa tête, il cherche à distinguer des silhouettes familières : montagnes, chiens, dragons... Mais le ciel a changé, depuis tout à l'heure. À présent, il n'est plus peuplé que de formes moches, déprimantes, dépourvues du moindre intérêt. En parfait accord avec son état d'esprit.

Ce vent qui siffle aux oreilles est enivrant. Afin d'en profiter plus encore, Charlotte retire sa bombe. Philippe le lui a interdit, mais ici, personne ne peut la voir... Ses boucles s'éparpillent aussitôt, voletant autour de sa tête. Ainsi, elle se sent libre...

À petits coups de talon, elle excite sa monture. Le claquement des sabots de Vénus l'enveloppe, telle une musique... Rythme de passion, de vitesse et de vent. Elle fait corps avec son cheval. Plus rien ne compte, à cet instant précis, que le mouvement de la bête, sa rapidité, et toujours ce vent qui fouette le visage et s'engouffre dans les cheveux.

« Vas-y, Vénus ! Cours, ma belle ! »

Le paysage défile en accéléré. Bientôt, au loin, apparaît le « mur rouge ».

À quelques encolures du dangereux obstacle, Charlotte tire sur les rênes. Docile, Vénus ralentit, puis s'arrête. Alors, la fillette met pied à terre et, gratouillant sa jument entre les oreilles :

« Tu as cru qu'on allait sauter, hein ! pouffe-t-elle. Je t'ai bien eue ! »

Elle laisse aller son front contre la tête de l'animal.

« T'es la seule que j'aime, ma Vénus... La seule... Toi, au moins, tu ne m'as jamais déçue. Les chevaux, ça ne sait pas mentir... »

Le souffle de la bête est tiède et rassurant. Entre les naseaux, la peau nue, quasiment dépourvue de poil, frémit. C'est doux, si doux... Charlotte y dépose un baiser fougueux.

Chapitre 11

Dans un coin de la cour, Stéphanie et Laure font une marelle.

« Je peux jouer avec vous ? » demande Charlotte.

Laure lui jette un regard en coin :

« Tiens ? Tu ne boudes plus ?

— D'accord, mais grouille ! s'énerve Stéphanie, la récré est presque finie ! »

Charlotte s'empresse de lancer le palet et de sauter à cloche-pied dans les cases. Mais soudain, elle a très chaud. Chaud et froid en même temps. Il lui semble que le sol est en guimauve et se dérobe sous ses pas. Tout tourne autour d'elle, sa vision se brouille.

Sur le point de perdre l'équilibre, la fillette pose le pied à terre.

« Perdu ! À moi ! » crie Laure.

Charlotte lui cède volontiers la place. Elle ferme les yeux et s'adosse à un arbre...

« Aujourd'hui, nous allons parler du cheval », annonce l'instit, en accrochant une planche anatomique au tableau.

Les enfants applaudissent. Le cheval a toujours fait partie de leur vie, c'est l'une des principales ressources de leur région.

« Mon père m'a dit que c'est d'Anjou que venaient tous les chevaux des rois de France ! crie Laure sans qu'on l'interroge.

— Raison de plus pour les étudier attentivement. Quelqu'un peut-il me dire à quelle famille ils appartiennent ? »

Thierry ne fait qu'un bond, le doigt pointé vers le plafond.

« À la famille d'Olivier, m'sieur ! »

Éclat de rire général.

« Très drôle, Thierry ! Question humour, tu fais des progrès. Par contre, en grammaire...

— M'sieur ! M'sieur !

— Oui, Jean-Paul ?

— C'est vrai que la semaine prochaine, on va visiter le haras ? »

Victor Novak hoche une tête amusée :

« Eh bien, je vois que les nouvelles vont vite, ici ! Oui, c'est vrai ! »

Hurlements d'enthousiasme de la classe. D'un geste, l'instit ramène le calme.

« Le papa d'Olivier est d'accord. Mais je vous rappelle qu'une sortie, ça se prépare aussi en classe. Alors, revenons au sujet de notre leçon. Charlotte, peux-tu me dire de quelle grande famille fait partie le cheval ?

— Les équidés, m'sieur !

— Très bien. Tu viens nous écrire le mot au tableau ? »

La fillette se lève avec effort. Depuis son malaise de tout à l'heure, elle ne se sent pas très solide sur ses jambes.

Et flûte... voilà que ça la reprend.

Elle vacille, s'appuie à sa table. Elle est tout à coup d'une pâleur saisissante.

« Qu'est-ce qui se passe ? » s'inquiète Victor.

Un geste évasif, Charlotte s'efforce de résister à la faiblesse qui l'envahit.

« Non, c'est rien, m'sieur... Ça va très bien ! »

Un pas... Deux pas... Elle remonte la rangée en titubant, comme si elle était saoule.

C'est curieux, cette impression de flou. La classe oscille à la manière d'un bateau pris dans la tempête. Tout devient noir...

Avant de sombrer, la fillette a juste le

temps d'entendre la voix inquiète de Victor, qui s'est précipité vers elle et la soutient :

« Charlotte ? CHARLOTTE ! »

« C'est pas grave, m'sieur ? Hein ? »

Olivier est complètement paniqué. Il suit l'instit qui transporte Charlotte sans connaissance vers l'infirmerie, et s'accroche à sa manche.

« Cours plutôt chez la directrice, lui jette Novak. Qu'elle appelle un médecin d'urgence ! »

*
* *

La première personne que voit Charlotte en revenant à elle, c'est Victor. Il est dans tous ses états et prend un air faussement détendu :

« Alors, p'tit monstre, on se réveille ? Tu nous as fait une sacrée frousse ! »

Charlotte est allongée sur un lit. Assis à côté d'elle, un médecin qu'elle ne connaît pas l'examine attentivement.

« Vous avez prévenu sa maman ? demande-t-il à l'instit.

— Oui, on lui a téléphoné à son bureau. Elle sera là d'un moment à l'autre. »

À ces mots, Charlotte bondit.

« Il ne fallait pas l'appeler, elle va s'inquiéter pour rien ! proteste-t-elle énergiquement.

— Eh bien dis donc, tu reprends vite du poil de la bête, toi ! » s'esclaffe le médecin.

Il sort un tensiomètre de sa sacoche et le fait glisser sur l'avant-bras de la malade, tout en l'interrogeant :

« Qu'est-ce que tu as mangé, hier ?

— Euh... Je sais plus, moi... Une banane, je crois...

— Une banane ? C'est tout ? »

Prenant l'instit à témoin :

« Mais ça ne suffit pas, elle est en pleine croissance ! Une grande fille comme elle doit faire de vrais repas ! »

Par chance, le cadran du tensiomètre n'indique rien d'alarmant.

« Il n'y a pas de quoi s'affoler : c'est une petite crise d'hypoglycémie due au régime alimentaire de "mademoiselle" !

— Qu'est-ce que ça veut dire ? » s'étonne Charlotte, qui ne comprend rien à ce jargon.

Le médecin se met à rire :

« Ça veut dire que lorsqu'on ne mange que des bananes, eh bien, on tombe dans les pommes ! »

Comme le praticien s'apprête à prendre congé, la porte s'ouvre sur Claire, complètement affolée.

Sans saluer personne, elle se précipite vers sa fille et la prend dans ses bras.

« Ma pauvre pupuce... Qu'est-ce qui t'arrive ?

— Le docteur a dit que ce n'était pas grave, répond Charlotte, curieusement distante.

— Mais il veut que tu manges normalement ! ajoute Victor.

— Vous avez son carnet de santé, madame Renan ? » s'enquiert le médecin.

Claire acquiesce, sort le carnet de son sac, et le tend au docteur. Ce dernier le feuillette avec attention.

« De toute évidence, c'est une petite fille en excellente forme !

— Elle n'est jamais malade, assure Claire. On est du genre solide, dans la famille ! Solide, et sportif !

— Elle a eu tous ses vaccins ?

— Oui, bien sûr ! Pourquoi ? »

Le praticien lui rend le livret en souriant.

« Pour rien... mais de la naissance à quatre mois, les pages sont vierges, alors... »

Une rougeur subite colore les joues de Claire.

« Oui, j'ai... Euh, ce n'est pas l'original... Je l'ai perdu pendant un déménagement, et... » bredouille-t-elle.

Ce trouble inattendu n'a pas échappé à

Charlotte, qui bat des paupières, intriguée. Son regard croise celui de Victor, le retient dans une interrogation muette.

Mais, déjà, Claire s'est ressaisie et donne libre cours à sa tendresse anxieuse.

« On va rentrer à la maison, ma chérie ! Je vais te préparer un bon goûter, et puis tu te reposeras bien.

— J'ai pas envie, je veux retourner en classe ! » proteste Charlotte.

C'est au tour de Victor d'intervenir :

« Ça, ma grande, il n'en est pas question ! J'ai eu assez d'émotions pour aujourd'hui ! Ma parole, vous finirez par avoir ma peau ! »

Chapitre 12

Une table de jardin est installée sous la tonnelle garnie de grappes de raisins acides. Les grains, encore minuscules, sont d'un joli vert saupoudré de blanc.

« À la fin de l'automne, ma mère les récolte et en fait un petit vin pas mauvais du tout ! signale Claire. Oh, ce n'est pas du cabernet, bien sûr, mais ça rafraîchit et mes amis en raffolent ! Je vous en offre un verre ?

— Non merci, je me contenterai d'un café », répond l'instit, en soulevant la tasse qui fume devant lui et en la portant à ses lèvres.

D'un geste machinal, la jeune femme passe une main dans sa courte frange de garçon.

« Charlotte est dans sa chambre, elle se repose, déclare-t-elle. Vous voulez que je l'appelle ? »

Victor prend le temps d'avaler une gorgée brûlante.

« Non, non... C'est vous que je suis venu voir. »

Assise dans son lit, Charlotte feuillette attentivement un album de photos.

Ce sont surtout les premières pages qui l'intéressent. Une série de clichés de bébé, sous lesquels on peut lire, en jolies lettres dorées :

Charlotte dans son bain. Quatre mois.
Charlotte et sa maman. Quatre mois.
Charlotte et son nounours. Quatre mois.
Charlotte dans son berceau. Quatre mois et demi.

« Quatre mois, quatre mois..., ronchonne la fillette. Et avant, hein ? Avant ? On dirait qu'avant quatre mois, je n'existais pas ! »

Elle referme l'album, se lève, et jette un coup d'œil par la fenêtre. Durant quelques secondes, elle observe sa mère et Victor discutant sous la tonnelle. Un chuchotis inaudible lui parvient, mêlé au gazouillis des oiseaux saluant la tombée du jour, et au grésillement des derniers grillons de l'été.

« Qu'est-ce qu'ils peuvent bien se raconter, ces deux-là ? » grommelle-t-elle.

Puis un remords la saisit. Ces « deux-là », elle les aime de toute son âme. L'un est son allié et son confident, et l'autre... L'autre, c'est ce qu'elle a de plus cher au monde : sa mère. Une mère qui lui fait des cachotteries, elle en a la conviction maintenant. Mais « la confiance, c'est aussi une marque d'amour », a dit l'instit, l'autre jour...

Avec un soupir, la fillette tourne les talons et sort de la pièce. Un instant plus tard, elle pousse la porte de la chambre de Claire.

L'endroit est imprégné d'un léger parfum de musc : celui de l'eau de toilette, un peu masculine, dont la jeune femme fait grand usage. Charlotte la renifle avec plaisir puis, sur la pointe des pieds, se dirige tout droit vers la commode.

Les trois premiers tiroirs sont remplis de lingerie. Sans intérêt. Mais le dernier contient des papiers jetés en vrac. Le cœur battant, la fillette commence à y farfouiller.

Relevés bancaires, carnets de chèques usagés, factures... Rien ne retient son attention. Ce n'est pas ici qu'elle trouvera ce qu'elle cherche.

Mais au fait, que cherche-t-elle ? Elle ne saurait le dire exactement. Des documents, un certificat, un acte de naissance... Bref, une attestation quelconque, qui vienne infirmer ou confirmer le soupçon diffus qui l'habite.

Quelque chose de tangible qui la tire de son incertitude.

Nerveusement, elle referme le tiroir, s'attaque au placard. Une bombe d'équitation s'y trouve posée en évidence. Charlotte la sort, l'examine sur toutes les coutures. L'odeur de naphtaline qui s'en dégage l'incommode ; elle plisse le nez. Il y a si longtemps que maman ne s'en est pas servie. Des années et des années. Depuis la mort de papa...

Sur l'étagère supérieure sont rangées des chemises cartonnées, soigneusement étiquetées : *Bulletins de paye, Impôts, Divers.* Charlotte tend la main vers ce dernier dossier.

« Je pense sincèrement que vous devriez lui en parler, madame Renan. Elle a le droit de savoir. Cacher la vérité à un enfant n'est jamais une solution... »

Dans les yeux bleus de Claire passe une lueur d'angoisse

« J'ai juré, monsieur Novak. Je suis liée par un serment... Et qui plus est, un serment fait à un mourant ! »

Le visage de Victor est d'une gravité extrême.

« Je comprends vos scrupules, mais vous avez tort, je vous assure. Et Charlotte va faire les frais de cette erreur. Elle a des soupçons, ça la perturbe. Rien ne peut être pire que le doute dans lequel elle se débat ! »

Une brusque bouffée de colère s'empare de Claire.

« C'est votre faute, tout ça ! grince-t-elle.

— Ma faute ?

— Évidemment ! Nous étions bien tranquilles, sans problèmes, et il a fallu que vous veniez lui parler de génétique ! »

Ses doigts frêles s'agrippent fermement à la table, comme des serres d'oiseau. Ses phalanges en deviennent toutes blanches.

« De la génétique, à dix ans ! Je vous demande un peu ! »

Sous la mise en accusation, Novak s'est raidi.

« Vous me faites un très mauvais procès, et vous le savez, rétorque-t-il sans perdre son calme. La couleur des yeux de son père, Charlotte s'en serait inquiétée tôt ou tard. Qu'elle vienne maintenant ou dans quelques années, cette question révèle une vraie inquiétude. Et cette inquiétude, vous vous deviez d'y répondre, non par un mensonge grossier, mais par la vérité.

— J'ai dit ce qui m'est venu à l'esprit !

— Et votre mère ?

— Elle n'a fait que suivre mes instructions... »

L'instit hoche la tête :

« Vos instructions... » répète-t-il sans indulgence.

Du coup, Claire prend la mouche. Ce n'est quand même pas cet instituteur qui va lui dicter sa conduite ! Elle se redresse d'un bond pour signifier la fin de l'entretien.

« Quelle que soit votre opinion, je compte sur votre absolue discrétion, monsieur Novak, conclut-elle. Il y a six ans, j'ai fait deux serments à mon mari, sur son lit de mort. Le premier était de ne jamais me remarier. Je vous avoue que je ne sais pas si je le tiendrai. Mais c'est du second qu'il s'agit aujourd'hui : je lui ai juré de laisser Charlotte dans l'ignorance de son adoption.

— Charlotte n'était qu'une toute petite fille, à l'époque. Vous ne pouviez pas savoir comment elle évoluerait, en grandissant. Je suis sûr que si son père était encore vivant, il changerait d'avis...

— Je n'ai pas l'intention de manquer à ma parole ! dit Claire, en détachant chaque mot.

— Même au détriment de l'équilibre de votre fille ? »

La jeune femme serre les dents si fort qu'on voit saillir les muscles de sa mâchoire.

« Je sais mieux que vous ce qui convient à Charlotte. Au revoir, monsieur Novak. »

Assise en tailleur sur la moquette, Charlotte poursuit patiemment ses investigations. Une chemise en carton pleine de dessins d'enfant retient, pour l'instant, toute son attention. L'un d'eux, surtout, qu'elle détaille, attendrie. On parvient à y distinguer — avec beaucoup de bonne volonté ! — trois silhouettes maladroitement esquissées : une petite entre deux grandes. La légende, écrite de la main d'un adulte, indique : *Premier dessin de Charlotte, intitulé : papa, maman et moi.*

La fillette soupire puis, s'arrachant à sa contemplation, remet le gribouillis en place et range la chemise sur l'étagère. Elle est déçue : bien qu'elle ait examiné tous les dossiers un par un, elle n'a rien déniché de vraiment intéressant.

Mais au moment où elle referme le placard, elle aperçoit un coin d'enveloppe kraft qui dépasse légèrement d'une pile de draps. Le cœur battant, Charlotte s'en empare. Elle ne comporte aucune inscription.

La fillette s'apprête à l'ouvrir lorsqu'un appel de Claire lui parvient du rez-de-chaussée : « Où es-tu, ma pupuce ? » suivi de pas précipités dans l'escalier.

Prise de panique, Charlotte refourre l'enveloppe où elle l'a prise et ferme les portes du placard. Elle est affolée : il est trop tard pour sortir de cette chambre où elle n'a théoriquement rien à faire. Comment Claire va-t-elle prendre ça ? Soupçonnera-t-elle l'indiscrétion de sa fille ?

Vite, un prétexte, n'importe lequel, pour expliquer sa présence ici !

Dans un coin de la chambre se dresse une coiffeuse, surmontée d'un grand miroir ovale et garnie de parfums, de poudres et de produits de maquillage.

D'un bond, la fillette, s'y installe, débouche un flacon d'eau de toilette, s'en asperge. Il était temps : la porte s'ouvre.

« Que fais-tu là, brigande ? » s'étonne Claire.

Charlotte rougit, avec une innocence de petite fille prise en faute.

« Euh... Ben, j'avais envie de mettre un peu de parfum... »

Amusée, Claire sourit.

« Petite coquette ! Il te plaît, celui-là ?

— Oh oui ! Il sent comme un bouquet de fleurs !

— Tu peux le prendre, je te le donne !

— Merci, maman ! »

La fillette saute au cou de sa mère, puis s'éclipse en emportant son cadeau. Avant de la suivre, Claire fait machinalement le tour de la pièce. Ses yeux tombent sur la vieille bombe d'équitation, que Charlotte, dans sa précipitation, a oublié de ranger.

La jeune femme fronce les sourcils et se dirige vers le placard dont la porte, mal fermée, s'entrebâille en grinçant.

« Nom d'un chien... » souffle-t-elle en devenant toute pâle.

Chapitre 13

Sur le tableau noir, l'instit a inscrit les noms des rois de France successeurs d'Henri IV : Louis XIII, son fils, et Louis XIV, son petit-fils.

« On appelle cela une monarchie héréditaire, explique-t-il. Dans le système monarchique, le pouvoir est un héritage qui se transmet de père en fils.

— Ils devaient avoir un gros gène royal, ces gens-là ! » pouffe Thierry.

Ce genre de réflexion met la classe en joie.

« Oh, tu sais, ce n'est parce qu'on a un papa roi qu'on est forcément apte à régner ! explique Victor en riant. On a vu dans l'histoire des souverains plus ou moins doués, et même parfois carrément incapables ! D'où l'intérêt de la République...

— M'sieur !

« — Oui, Laure ? »

Autour de la tête de Laure, ses couettes blondes se balancent comme deux oreilles de chiot.

« Quand même, ça compte, les gènes qu'on a. Par exemple, la mère de Charlotte, elle était championne d'équitation. Alors sa fille, c'est pareil... »

Imperceptiblement, le sourcil gauche de l'instit se soulève.

« Qu'en penses-tu, Charlotte ?

— Ben... je ne sais pas si c'est à cause des gènes... Les chevaux, je les connais depuis que je suis toute petite, alors je les aime, c'est tout...

— Quand même ! s'obstine Laure. M'sieur, vous nous avez dit que les parents passaient leur caractérics... caractré...

— Caractéristiques, rectifie Novak.

— ... à leurs enfants. Des fois, c'étaient des caracmachins physiques, comme la couleur des yeux ou des cheveux, et des fois des carac... morales, comme la colère, la gentillesse ou l'intelligence, non ? »

L'instit adore quand les enfants raisonnent. Une leçon, lorsqu'elle se transforme en discussion où chacun donne son avis, est mille fois plus enrichissante qu'un monologue. Les réflexions de Laure font dévier la leçon d'histoire sur celle de la génétique, qui avait tant passionné les élèves quelques jours auparavant.

« Une partie seulement des traits qui forment notre personnalité est héréditaire, explique-t-il. D'autres nous sont transmis par notre milieu de vie... »

S'adressant à Stéphanie, qui suce son pouce avec une attention soutenue, Novak poursuit :

« Toi, je sais que tu joues du piano... et même que tu te débrouilles très bien. Est-ce que tes parents sont musiciens ? »

Stéphanie prend le temps de retirer son pouce de sa bouche, ce qui produit un bruit mouillé.

« Non, mais depuis que je suis toute petite, ils m'emmènent à des concerts. Et puis, il y a toujours des disques qui marchent, à la maison... »

Satisfait de la réponse, l'instit élargit le débat :

« Alors, vous voyez ? L'ambiance dans laquelle on est élevé compte énormément. Beaucoup plus, même, que l'hérédité. Des jumeaux ayant exactement le même patrimoine génétique au départ, mais grandissant dans des conditions différentes — d'autres pays ou d'autres milieux sociaux par exemple — ne donneront pas du tout le même résultat. »

Sans s'en rendre compte, Charlotte hoche la tête. Victor l'observe du coin de l'œil. Elle boit ses paroles, comme si celles-ci n'étaient destinées qu'à elle seule. C'est peut-être le cas...

À la récré, la conversation se poursuit sur le même thème.

« N'empêche, dit Jean-Paul en remontant, du bout de l'index, ses lunettes sur son nez, mon père est comptable et je suis nul en maths. Moi, je trouve pas ça normal... »

L'occasion est trop belle. Thierry, le roi de la cruauté, saute dessus à pieds joints :

« Peut-être qu'à la maternité, ils se sont gourrés de bébé ? suggère-t-il, faussement candide. Il paraît que ça arrive tout le temps...

— Ou alors, ils t'ont adopté et tu n'en sais rien ! » renchérit Nicolas.

Thierry pouffe dans ses mains :

« Ouais, c'est ça ! Ils t'ont trouvé dans une poubelle ! »

La plaisanterie tourne au vinaigre. Agressé, Jean-Paul commence par serrer les poings. S'il s'écoutait, il leur casserait bien la figure, à ces deux zozos ! Mais il n'est pas sûr d'avoir le dessus : Thierry est deux fois plus grand que lui. Et puis, se bagarrer quand on a des lunettes... Il se ravise donc, et se contente de s'éloigner en grommelant « Bande de ploucs ! » entre ses dents.

« Vous l'avez vexé ! constate Olivier. C'est nul ce que vous lui avez dit, les gars !

— Ben quoi ? Si on ne peut même plus se marrer ! hoquette Nicolas, encore plié de rire.

— D'ailleurs, être adopté, c'est hyper-chouette ! intervient Laure. On est bien plus gâté que les autres ! »

Charlotte, qui jusque-là ne s'était pas mêlée au groupe, dresse l'oreille.

« Tu en connais, toi, des enfants comme ça ? » demande-t-elle.

Toute fière d'être « celle qui sait », Laure tire-bouchonne sa couette autour de son index.

« Ben ouais ! Les meilleurs amis de mes parents sont allés acheter leur bébé au Brésil. »

Charlotte bondit :

« Acheter ? ! ?

— Comme on achète un petit chien ! » s'esclaffe Thierry.

D'un geste impatient, Charlotte élude la vilaine remarque.

« Ils ont donné des sous en échange d'un enfant ? insiste-t-elle, horrifiée.

— Même que ça leur a coûté toutes leurs économies ! » assure Laure.

Ce soir-là, en rentrant de l'école, Charlotte ne se rend pas tout de suite au haras. Elle passe d'abord chez elle, sous un prétexte quelconque. Les discussions de l'après-midi l'ont troublée, nourrissant le malaise qui l'oppresse chaque jour davantage. Les gènes, les ressemblances familiales héritées ou acquises, les bébés achetés... tout cela tourne dans sa tête comme un manège obsessionnel.

Il faut qu'elle sache.

Sur le pas de la porte, elle s'arrête et tend l'oreille. On ne sait jamais, des fois que maman serait rentrée plus tôt que prévu.

« Maman ? Maaaman ? » crie la fillette, à tout hasard.

Seul le silence lui répond. La voie est libre...

Pas un bruit dans la maison vide, sauf le cœur de Charlotte qui cogne au fond de sa poitrine.

Sur la pointe des pieds, la fillette se dirige vers la chambre de sa mère, y pénètre, fonce vers le placard, fouille fébrilement sous la pile de draps.

« Flûte, zut et rezut ! » grogne-t-elle, dépitée.

L'enveloppe kraft a disparu.

Chapitre 14

Assis sur l'appui-de-fenêtre de la cuisine, entre deux pots de géranium, Olivier lit une BD en grignotant un pain au chocolat. Il est si absorbé qu'il n'entend pas arriver Charlotte, tenant Vénus par la bride.

La fillette se plante devant lui.

« T'as pas vu l'instit ? »

Surpris, le gamin tressaille :

« La vaaache, tu m'as fait peur ! Tu pourrais prévenir, au lieu de tomber sur les gens sans crier gare !

— Je cherche l'instit, répète Charlotte, qui ne semble pas éprouver le moindre remords.

— Il est parti se promener au bord de la rivière... Par une chaleur pareille, il est complètement inconscient !

— OK, merci ! »

D'un bond souple, la fillette enfourche son cheval. Puis, une fois en selle, elle se penche et arrache la viennoiserie des mains de son copain, avant de s'éloigner rapidement.

« Hééé ! Ça va pas, la tête ? » proteste le garçon.

Charlotte lui fait un petit sourire d'excuse.

« J'ai promis à ma mère de manger ! »

Avec un haussement d'épaules, Olivier reprend sa lecture.

Charlotte n'aperçoit tout d'abord que le cheval qui broute, un superbe palomino à la robe presque jaune et au crin blanc, prénommé Prince. Ce n'est qu'un peu plus tard qu'elle voit le cavalier. À genoux devant le cours d'eau qui miroite au soleil, il se rafraîchit.

« Plouf ! »

Victor, éclaboussé, sursaute. Sur la surface de la rivière s'étale une série de ronds concentriques.

« Maintenant que vous n'avez plus besoin de guide, vous me laissez tomber ! » fait une petite voix derrière lui.

Il se retourne. À quelques pas, Charlotte, penchée sur l'encolure de Vénus, achève d'engloutir son pain au chocolat.

« Tu as retrouvé l'appétit, toi, ça me fait plaisir ! » sourit l'instit.

La fillette ne lui rend pas son sourire. Au

contraire : elle baisse le front d'un air penaud et malheureux.

« J'ai rien retrouvé du tout, je me force... et ça a du mal à passer... »

Déjà Victor est remonté sur son cheval, histoire d'être à la même hauteur que son élève.

« Toi, tu as des choses à me dire...

— Oui... » fait la tête de Charlotte.

Bientôt, cheminant côte à côte, ils prennent la direction du petit bois.

Cette fois, la fillette se confie d'elle-même, sans que l'instit ait besoin de l'interroger. Ses soucis sont trop lourds à porter. Il faut qu'elle les partage avec quelqu'un, qu'elle cherche des réponses aux questions qui la taraudent, qu'on l'aide à y voir clair. Elle déverse tout en vrac au creux de l'oreille amicale. Et ça dure, ça dure...

«... en plus du carnet de santé, il n'y a aucune photo de moi avant quatre mois. Pareil pour les vêtements de bébé qu'elle a gardés. Et on n'a pas un seul portrait d'elle pendant sa grossesse. Vous ne trouvez pas ça bizarre, vous ? »

Victor s'absorbe dans la contemplation de la crinière de Prince. Ça lui évite de regarder Charlotte dans les yeux.

« Ta maman disait qu'elle avait égaré

plein de choses, pendant le déménagement...,
suggère-t-il mollement.

— Pfffttt ! N'importe quoi ! Et l'enveloppe qui a disparu, elle s'est perdue
aussi, peut-être ? Moi, je crois plutôt
qu'elle l'a cachée pour que je ne la
trouve pas ! »

L'orée du bois n'est plus très loin, maintenant. Les sabots des chevaux martèlent le sol
en cadence. C'est un bruit rassurant.

« Cette enveloppe, tu lui en as parlé ? »
interroge l'instit.

Charlotte esquisse une petite moue.

« Je n'oserais jamais. Elle sera furieuse si
elle apprend que j'ai fouillé partout... »

Dans ses prunelles si noires, si brillantes,
passe une intense supplication :

« Vous ne pourriez pas lui demander,
vous ? »

Victor est au supplice. Il a encore à
l'esprit les recommandations de Claire : « Je
compte sur votre absolue discrétion, monsieur Novak ! » Oh, comme il aimerait, à cet
instant, dire à Charlotte tout ce qu'il sait,
apaiser ses angoisses. C'est comme s'il tenait
un verre d'eau, sans pouvoir désaltérer un
enfant assoiffé... Mais Claire lui a confié la
vérité sous le sceau du secret, et ce secret, il
n'a pas le droit de le trahir...

« Lui demander quoi, Charlotte. Où

veux-tu en venir ? Qu'est-ce que tu as exactement derrière la tête ? »

Cette fois, Charlotte s'emporte :

« Vous ne comprenez rien ou quoi ? crie-t-elle, des larmes dans la voix. Je ne suis pas la fille de ma mère, j'en suis sûre, maintenant ! Mes parents m'ont adoptée, vous entendez ? ADOPTÉE. Peut-être même qu'ils y ont laissé toutes leurs économies ! »

Ça y est, Charlotte a livré le soupçon qui la ronge. C'est sorti comme un vomissement. Sans laisser à son interlocuteur le temps de réagir, elle talonne les flancs de Vénus et part en galopant vers l'ombre du bois.

« Et si vous ne voulez pas m'aider, tant pis. Je me débrouillerai toute seule, mais je saurai ! » jette-t-elle, en disparaissant sous la ramure.

Chapitre 15

Ce qu'il y a de bien, le dimanche, c'est le « rite du marché ». Claire donne ce nom aux courses hebdomadaires qu'elle fait avec Charlotte le long des étals colorés, après une grasse matinée et un petit déjeuner amélioré.

Ce matin, le soleil est de la partie. Décidément, l'été se prolonge. Pas la moindre trace d'automne dans ce début d'octobre radieux. Seul l'infime jaunissement du feuillage constitue le signe avant-coureur d'une saison qui se fait attendre.

Une fois leur cabas plein de fruits et de légumes, mère et fille flânent en se tenant le bras.

« Je vais te faire une confidence, chuchote soudain Claire. Mais... motus, hein ! C'est juste entre nous... »

Le visage de Charlotte s'illumine. Ces

mots-là, il y a si longtemps qu'elle les attend !

« Vas-y ! s'exclame-t-elle, ardente.

— Tu tiendras ta langue ?

— Promis ! »

La fillette trépigne d'impatience. Avec une espièglerie presque enfantine, sa mère fait durer le suspense. Enfin, elle se décide.

« Hier midi, quand je suis sortie du bureau, quelqu'un m'attendait... avec un petit bouquet de fleurs... »

La nouvelle n'a pas du tout l'effet escompté. Au lieu de bondir de joie comme s'y attendait sa mère, Charlotte murmure juste un « Ah, bon... » morose.

« Tu ne devineras jamais qui c'était ! insiste Claire.

— Le père d'Olivier, évidemment ! »

Charlotte est si déçue qu'elle se désintéresse complètement de la suite. C'est une révélation d'un tout autre genre qu'elle attendait ! Quelque chose qui la concerne directement, qui mette fin une fois pour toutes à ses incertitudes et donne un nom aux doutes qui lui collent à la peau.

Malgré cette inexplicable attitude, Claire s'efforce de rester joviale.

« On a déjeuné ensemble, poursuit-elle. Et on a beaucoup parlé. C'est vrai qu'il est... canon ! »

Pour toute réponse, Charlotte hausse les épaules.

« Je croyais que ça te ferait plaisir..., dit Claire avec tristesse. Ce que j'éprouve, ça ne t'intéresse pas ? »

Du coup, Charlotte s'arrête de marcher.

« Tu veux savoir ce qui m'intéresse ? demande-t-elle abruptement.

— Euh... oui, bien sûr.

— L'heure exacte de ma naissance. »

C'est si inattendu, comme question, que Claire demeure sans voix.

« Alors ? insiste Charlotte.

— Euh... sept heures du matin », dit Claire à tout hasard.

Le regard de Charlotte est terrible.

« Sept heures pile ?

— Enfin, sept heures, sept heures un quart... Est-ce que je sais, moi ? Je n'avais pas le nez sur ma montre, figure-toi ! »

Tout en discutant, elles se sont éloignées du marché et arpentent à présent les ruelles étroites de la vieille ville. Verblé somnole, engourdie dans sa paix dominicale. Sur le seuil d'une maison, un vieux chien dort dans une flaque de lumière. Un chat, roulé en boule à l'angle d'une fenêtre, clignote des yeux comme un hibou surpris par l'aurore. Perché sur une corniche, un couple de pigeons roucoule à pleine gorge.

« Et quand je suis sortie de ton ventre, ça t'a fait mal ? » demande Charlotte.

Claire toussote. Cet interrogatoire la met de plus en plus mal à l'aise.

« Accoucher, ça n'a jamais été une partie de plaisir, lâche-t-elle, évasive. Mais on survit, la preuve... »

Sa tentative d'humour tombe à plat. De plus en plus sèchement, Charlotte poursuit :

« Et quand je suis née, t'as fait quoi ?

— Qu'est-ce que ça signifie "t'as fait quoi" ? Tu ne peux pas parler un français correct ? Tu ne peux pas dire "qu'as-tu fait", comme tout le monde ? »

La remarque de sa mère ne trouble pas Charlotte. Tout à son malaise, c'est à peine si elle en perçoit la hargne rentrée.

« Est-ce que tu m'as prise dans tes bras ? Ou alors, tu m'as mise tout de suite dans mon berceau ? » précise-t-elle, imperturbable.

Claire n'a pas le temps de répondre que d'autres questions surgissent déjà :

« Et comment il était, mon berceau ? À bascule ou avec des roulettes ? En bois ou en tissu ? Et de quelle couleur ? »

Sous l'avalanche, la jeune femme rentre la tête dans les épaules.

« Tais-toi ! proteste-t-elle. C'est un procès que tu me fais ? »

Les voilà qui s'affrontent les yeux dans les yeux. Iris noir contre iris bleu.

« OK, je me tais ! » cède Charlotte.

Et, plantant là sa mère stupéfaite, elle s'éloigne à grandes enjambées.

Le temps de se ressaisir et Claire se lance à sa poursuite.

« Pardonne-moi, ma chérie... Je n'aurais pas dû m'énerver ! » s'excuse-t-elle en la prenant tendrement dans ses bras.

Mais la fillette se dégage et, la défiant à nouveau :

« De quelle couleur était mon berceau ? » lui jette-t-elle en pleine figure.

Claire est au bord des larmes. Son visage de grand gamin n'est plus qu'une frimousse de toute petite fille éperdue.

« Blanc... Rose... Je ne sais plus, moi... » bégaie-t-elle.

Sous le regard pénétrant de Charlotte, elle frissonne.

« Tu ne sais plus ? Comme pour les yeux de papa, alors ! Décidément, ma pauvre maman, tu as une bien mauvaise mémoire ! »

Un silence, puis cette phrase perfide, articulée avec une lenteur glaciale :

« Si ça se trouve, d'ailleurs, tu ne l'as jamais su ! »

Le retour à la maison se fait dans une atmosphère tendue. Charlotte fixe la pointe de ses chaussures, les traits crispés. Claire se mord les lèvres pour ne pas pleurer. Toutes deux sont plongées dans leurs réflexions.

La porte à peine franchie, Charlotte se rue sur son puzzle. Le patient assemblage convient bien à son état d'âme. D'ailleurs, l'obstination muette qu'elle met depuis tant et tant de jours à reconstituer l'image commence à porter ses fruits. Des silhouettes s'ébauchent dans l'embrouillamini de petites formes étoilées. Celle d'un poulain noir au flanc de sa mère, une magnifique jument blanche.

Claire, pour sa part, va et vient sans but dans l'appartement. Elle sent bien que le moment est venu de faire le « grand saut ». Elle ne peut plus reculer. D'ailleurs, Victor le lui a dit, l'autre jour : le plus tôt sera le mieux. Mais, tel un cheval peureux, elle renâcle devant l'obstacle.

Trouvera-t-elle le courage d'avouer son secret ?

Après bien des hésitations, elle se décide enfin. S'agenouillant près de sa fille sur le tapis, elle lui passe doucement la main dans les cheveux. Charlotte se fige, mais la laisse faire.

« Ma pupuce... »

La fillette feint de s'absorber dans la recherche d'une pièce : celle qui compose le mufle de la jument. Elle tripote fébrilement les pièces de carton. Le cœur n'y est pas.

«... ma pupuce, tu sais que je t'adore, n'est-ce pas... »

Charlotte ne répond pas, mais renonce à trouver le mufle. Elle ne voit plus assez net. Une humidité suspecte lui trouble la vue.

« Aide-moi, mon trésor... Dis-moi quelque chose... » implore Claire, que le silence de sa fille paralyse.

Cette dernière lui lance un long regard. Sur ses cils, des larmes brillent. C'est l'encouragement que Claire attendait.

« Je voudrais te parler de ton papa... et de moi. Avant de t'avoir, tous les deux, on était très malheureux... »

Le ton est si bas que Charlotte doit tendre l'oreille, aller à la pêche de chaque mot. Mais elle sait que cet imperceptible murmure est la clé de tout, la confidence qu'elle attend depuis si longtemps. Un vertige la saisit.

« Pourquoi ? Vous ne vous aimiez pas ? demande-t-elle d'une voix rauque.

— Si, au contraire, nous nous aimions beaucoup... Seulement, un jour, on a appris que... qu'on ne pourrait jamais avoir d'enfant... »

Elle avale sa salive. Charlotte la fixe.

« Alors, on s'est dit que... il y a des enfants qui n'ont pas de parents... et qui sont eux aussi très malheureux...

— Vous m'avez adoptée, c'est ça ? » l'interrompt Charlotte, précipitant le laborieux aveu.

Claire, terriblement émue, acquiesce en silence.

« Je le savais... enfin, je m'en doutais... » se contente de dire la fillette.

Puis, comme si de rien n'était, elle se replonge dans son puzzle.

Claire s'attendait à tout sauf à ça. Elle prévoyait des baisers, des sanglots, des reproches, un drame peut-être... mais pas cette indifférence glacée.

Désarçonnée, elle se lève.

« Tu... tu préfères que je te laisse seule, ma chérie ? »

Un hochement de tête. Le hochement de tête d'une étrangère. Charlotte n'a même pas daigné lever les yeux. À regret, Claire se dirige vers la porte.

« Je t'aime tellement... tellement... » souffle-t-elle, en tournant la poignée.

Comme elle se glisse hors de la pièce, une voix cassante la retient :

« C'était qui, ma vraie mère ? »

Claire se fige net, et fait la même grimace — exactement la même ! — que le

boxeur qui encaisse un direct dans l'esto-
mac.

« Je... je ne sais pas. On ne nous le dit
pas... » bredouille-t-elle.

Puis elle claque la porte et s'enfuit en
courant.

Devant son puzzle, Charlotte n'a pas bron-
ché. D'une main qui tremble à peine, elle
choisit une pièce, la place dans un trou. La
pièce s'imbrique parfaitement. Le mufle de
la jument blanche apparaît. Sur l'image
reconstituée, on distingue parfaitement son
bout de langue rose qui lèche tendrement la
crinière du poulain noir.

Chapitre 16

« Tout le monde est là ? » demande Victor.

Un cri retentit dans le calme du matin :

« Ouuuiiiiii ! »

Le ronronnement du car emplit la rue. Il fait un rien frisquet, comme le veut la saison. Si, en journée, le soleil crée encore une illusion estivale, il n'en est pas de même au petit jour. Une brume symptomatique stagne au ras du sol, noyant les roues du véhicule dans ses filaments ouatés.

« Allez, hop, on embarque ! » annonce l'instit.

Dans une joyeuse bousculade, les CM2 obéissent.

« Tu me laisseras monter sur ton cheval ? » demande Thierry à Charlotte, en se hissant à bord.

La fillette bondit.

« Ça va pas, la tête ? Prêter ma Vénus à un taré comme toi ?

— Tarée toi-même, sale bêcheuse ! »

L'arrivée de Victor coupe court à la dispute naissante.

« Dépêchez-vous, voyons ! Vous encombrez le marchepied ! »

Les deux enfants s'installent sur des sièges très éloignés l'un de l'autre. Mais, par-dessus la tête de leurs camarades, ils continuent à se regarder en chiens de faïence.

« Toi, tu vas me payer ça, ma vieille ! » rumine Thierry tout au long du trajet.

Charlotte est d'une humeur massacrante, aujourd'hui. Les révélations de la veille ne l'ont pas apaisée, bien au contraire. Elle avait beau s'y attendre, ça lui a fait un choc de voir ses soupçons confirmés. Et surtout, surtout, de réaliser que, durant tant d'années, sa mère lui a joué la comédie.

Pourquoi lui a-t-elle caché si longtemps la vérité ? C'est donc tellement honteux d'être adoptée ?

Une voix féminine l'arrache à ses pensées. Celle de la directrice, qui multiplie les recommandations.

« Surveillez-les bien, monsieur Novak ! Je meurs d'inquiétude chaque fois qu'ils font une sortie. L'an dernier, ils ont visité un élevage de truites... et il y en a un qui a réussi à tomber dans le vivier ! »

L'instit dissimule un petit sourire.

« Thierry, je parie ! »

La directrice lève les yeux au ciel :

« Ah, celui-là... Une vraie catastrophe ambulante ! »

Le sourire de l'instit s'accentue, devient paternel.

« Ne vous en faites pas, j'aurai l'œil ! » promet-il.

Le trajet ne prend pas plus de dix minutes, à travers une route bordée de prés cotonneux. Émergeant du brouillard, vaches et chevaux, le col penché vers l'herbe humide de rosée, ont des allures de troupeaux fantômes.

Mais déjà, là-haut, le soleil point. Dans une heure ou deux, il fera chaud.

Philippe et Olivier attendent le car dans la cour du haras. À peine le véhicule s'immobilise-t-il que les gamins s'en échappent comme une nuée de mouches.

« Wah ! Venez voir ! » s'écrie Laure, en se ruant vers un petit enclos, où un poulain cavale gauchement sous l'œil attentif de sa mère, une grande jument alezane.

Toute la classe s'agglutine illico autour de la barrière.

« Qu'il est mignon !

— Il tient à peine sur ses pattes...

— Oh, il essaie de galoper ! »

Attiré par les cris, l'instit se fraie un passage.

« Regardez, m'sieur ! pouffe Thierry. Il s'emmêle les guibolles ! »

L'instit se met à rire.

« Pour un cheval, on ne dit pas des "guibolles", mais des jambes ! précise-t-il.

— Des jambes ? s'étonne Stéphanie. Comme nous, alors ?

— Exactement, intervient Philippe. Ce petit animal dont la maladresse vous amuse tant s'appelle Zéphyr. Et ce sera un grand trotteur...

— Ça veut dire qu'il va faire des courses, comme au tiercé ? s'enquiert Jean-Paul, épaté.

— J'y compte bien ! Et il a de grandes chances de gagner, vu son pedigree !

— C'est quoi, un pédi... comme vous dites, m'sieur ? » demande Laure.

Philippe jette un coup d'œil surpris à Novak :

« Ils n'ont pas appris ça en classe ? » s'étonne-t-il.

L'instit écarte les bras avec une expression faussement coupable.

« Ben non... désolé !

— Ça veut dire que les parents de Zéphyr sont déjà des champions, explique Philippe. Son grand-père a même gagné le Prix d'Amérique.

— C'est une histoire de gènes, alors ? » suggère Thierry.

Philippe pousse un petit sifflement admiratif.

« Tu en sais, des choses, toi ! En effet, dans la reproduction des chevaux, on utilise beaucoup la génétique. Ça permet de préserver les qualités de certaines races... »

Il brandit un épais registre qu'il tenait sous son bras.

« Les origines de Zéphyr sont consignées ici, depuis plusieurs générations. On appelle ça un *studbook,* et toutes les bêtes de concours ont le leur... »

Pendant que les gamins, passionnés, consultent le gros livre, Olivier tire doucement Victor par la manche.

« M'sieur... Vous ne savez pas où est Charlotte ? »

L'instit fait rapidement le tour de l'assistance.

« Non... Je la croyais avec les autres.

— Ça ne l'intéresse pas ce que mon père raconte : elle connaît tout ça par cœur !

— Tu as été voir dans le box de Vénus ?

— Elle n'y est pas... et sa jument non plus. »

L'instit fronce les sourcils, en proie à une désagréable impression. Sans qu'il sache exactement pourquoi, son intuition vient de l'avertir que la fillette est en danger.

« Je m'en occupe ! » jette-t-il à Olivier, avant de courir à son tour vers l'écurie.

« Dans quinze jours, c'est ici qu'aura lieu la sélection pour le prochain trophée régional, explique Philippe aux CM2. Vous avez intérêt à venir nombreux, pour soutenir Charlotte qui y participera ! »

Un tonnerre d'applaudissements et de cris enthousiastes salue la proposition.

Au même instant, Victor, chevauchant Prince, passe comme une flèche, devant le regard ahuri de ses élèves.

« Où il va ? » s'étonne Thierry.

Philippe ne dit rien, mais cherche Olivier des yeux. Ce qu'il lit sur le visage de son fils l'inquiète.

« Qu'est-ce qui se passe ? lui glisse-t-il.

— Il est allé chercher Charlotte qui a disparu. »

L'éleveur hausse les épaules.

« Bah, elle ne doit pas être bien loin... C'est un peu chez elle, ici... »

Il sourit à son fils.

« Et ça risque de le devenir encore plus, dans peu de temps ! » ajoute-t-il, complice.

*
* *

Sur la plaine qui commence lentement à se réchauffer, Charlotte galope. Le vent sèche les larmes qui lui brûlent les yeux — ces yeux sombres qu'elle ne tient de personne, DE PERSONNE. Une immense détresse lui serre la gorge, comprime sa poitrine. Elle galope, et sa course est une fuite.

Au-dessus de sa tête, dans le ciel limpide, passent des oiseaux migrateurs en route pour le Sud. Le beau temps qui perdure ne les trompe pas : ils savent que ce soleil n'est qu'une rémission, une éphémère illusion d'été qui, d'un instant à l'autre, peut s'estomper. La mauvaise saison n'en sera que plus rigoureuse.

Oh ! Comme Charlotte aimerait se joindre à eux, et partir à tire-d'aile... ailleurs !

Ailleurs... N'importe où, mais ailleurs !

À petits coups de talon, elle excite sa jument.

« Plus vite, Vénus, plus vite ! »

Des idées, des mots cognent dans sa tête. Un tourbillon noir qui l'obsède jusqu'à la nausée. Mensonge, hérédité, abandon, enfants achetés, *studbook*... *Studbook* : l'arbre généalogique des chevaux, leur label de valeur. La preuve qu'ils appartiennent à une famille...

« Moi, je n'en aurai jamais, de *studbook*, hoquette Charlotte. J'ai pas de famille ! Je ne suis rien : juste une enfant trouvée dans une poubelle. Une bâtarde dont même ma mère n'a pas voulu... »

Les sabots de Vénus martèlent maintenant le sol à une cadence folle.

« Plus vite ! Plus vite ! »

Fendre l'espace comme un oiseau est la seule chose qui apaise Charlotte. Fuir... Sentir le frémissement de sa jument, son unique amour, sa seule famille, et s'envoler...

Au loin, se détachant sur l'azur du ciel, apparaît le « mur rouge ».

D'instinct, Victor a pris, lui aussi, la direction du terrain à l'abandon. Ébloui par la lumière, les paupières plissées, il scrute l'horizon.

Soudain, il aperçoit la petite cavalière, et pousse un cri d'angoisse.

« Mon Dieu, que fait-elle ? Elle a perdu la tête ! »

Lancée à un train d'enfer, Vénus fonce droit sur le sinistre amas de pierres.

« Charlotte ! Arrête ! » hurle l'instit.

Mais Charlotte ne l'entend pas. Ivre de vitesse et de chagrin, elle stimule sa bête :

« Plus vite, Vénus, plus vite ! Envole-toi ! »

En un éclair, Victor a évalué le temps qu'il lui faut pour rejoindre la fillette, et l'espace qui sépare celle-ci de l'obstacle meurtrier. Un rapide calcul... C'est jouable mais pas sans risques : une haie barre le passage, et il ne pratique pas le saut.

Là-bas, Charlotte galope toujours. Le mur se rapproche dangereusement...

« La jeune fille s'est écrasée sur les pierres, et le cheval, les quatre jambes brisées, a henni toute la nuit avant de mourir à son tour, dit la légende. Depuis, sous le lierre qui le recouvre, le mur a la couleur du sang... »

Dominant sa crainte, l'instit lance Prince en direction de la haie, et d'un bond la franchit. Il est blême. Une transpiration glacée coule sur son front. C'est sa plus tragique leçon d'équitation.

Insensiblement, Prince gagne du terrain. L'écart avec Vénus se resserre.

Victor talonne furieusement sa monture. Prince, les naseaux mousseux, les yeux fous, rattrape peu à peu la jument.

À présent, les deux bêtes sont côte à côte. Le « mur rouge » n'est plus qu'à quelques mètres. Impossible d'arrêter Vénus avant qu'elle ne l'atteigne.

Que faire ? Une seule solution : l'obliger à dévier sa trajectoire. Victor pousse Prince contre la jument. Leurs deux flancs en sueur se frôlent. Chassée sur la droite, Vénus oblique enfin.

Dans un roulement de sabots assourdissant, les deux coursiers rasent le pan de pierres éboulées et pénètrent de justesse par la brèche. L'instant d'après, ils se retrouvent dans un intextricable fouillis de végétation.

Le terrain est si accidenté que les bêtes ralentissent d'elles-mêmes. Charlotte, qui semble se réveiller d'un rêve, arrête Vénus près d'un arbre. Déjà, l'instit a mis pied à terre. Maintenant que la terrible tension nerveuse est retombée, il titube et claque des dents.

« Charlotte, qu'est-ce qui t'a pris ? Tu aurais pu te tuer ! » dit-il d'une voix étouffée.

La fillette ne répond pas, elle pleure. Elle aussi subit le contrecoup de ce qui vient de se passer. Avoir frôlé la mort la laisse hébétée, anéantie. Elle s'effondre dans les bras de l'instit.

« Explique-moi, ma grande... Quelle mouche t'a piquée ? murmure-t-il, en la serrant de toutes ses forces.

— Je voulais... »

Elle hoquette, la gorge serrée.

«... je voulais m'envoler très loin... »

L'instit lui caresse les cheveux et elle ajoute, dans un soupir :

« Ça sert à quoi de vivre, quand on n'a pas de famille ? »

Même les plus gros chagrins finissent par s'apaiser. Laissant leurs chevaux se reposer, Victor et Charlotte se sont assis sur le mur pour discuter.

D'un débit haché et douloureux, la fillette se libère.

« Et l'autre, là, ma vraie mère... pourquoi elle n'a pas voulu de moi ?... Pourquoi elle m'a jetée ?... Je ne lui avais rien fait, moi ! J'étais juste un tout petit bébé... C'est dégoûtant de fabriquer un enfant et puis de s'en débarrasser comme ça ! »

Victor laisse s'écouler le flot de paroles. Ce que Charlotte ressent, il le comprend si bien...

« Tu sais, répond-il avec douceur, on n'abandonne pas un enfant par plaisir. Quand on en arrive là, c'est que vraiment, on ne peut pas faire autrement. La femme qui t'a mise au monde, tu ne peux pas savoir dans quelle situation elle se trouvait, quels drames elle vivait...

— C'est ça, défendez-la ! se rebiffe Charlotte.

— Je ne défends personne, j'essaie de comprendre. Il peut arriver qu'une mère ait de tels problèmes qu'elle se sente incapable d'assumer son enfant. Plutôt que de lui faire mener une existence misérable, elle préfère le confier à la DDASS, pour qu'une autre famille s'en occupe... »

D'un geste qui lui est coutumier, Victor passe un doigt sous le menton de la fillette et lui relève la tête pour la regarder droit dans les yeux.

« Entre nous, elle a bien fait, non ? poursuit-il. L'"autre famille" n'a pas failli à sa mission ! Tu n'aurais pas pu mieux tomber, petite Charlotte... Imagine quelle vie tu aurais menée avec une femme dans l'incapacité de te nourrir, de s'occuper de toi... ou pire encore. Et compare-la avec ton bonheur présent... »

Charlotte ne dit rien, mais son regard sombre ne fuit pas.

« Ta "vraie mère" ne t'a pas "jetée", comme tu le prétends. En s'effaçant, elle t'a fait cadeau d'une famille formidable... » conclut l'instit.

Lorsque Victor et Charlotte ramènent leurs chevaux à l'écurie, les CM2 ont terminé la visite du haras et jouent dans le pré voisin. Seul, Thierry s'est attardé près du poulain, que Philippe a rentré dans sa stalle, et le caresse en lui parlant tout bas.

« Tu sais, je vais demander à ma mère de m'inscrire aux leçons d'équitation. Comme ça, je m'occuperai de toi... On fera des courses super, tous les deux. Tu seras mon étalon noir ! »

Le bruit des sabots de Prince et de Vénus lui parvient, de l'autre côté de la paroi, ainsi qu'une rumeur de voix familières. Sans se faire voir, le gamin s'approche des planches mal jointes qui séparent les boxes, et tend l'oreille.

« J'ai pas envie que les autres sachent..., dit Charlotte. C'est la honte de ne même pas connaître sa vraie mère...

— Ta seule vraie mère, tu la connais, répond l'instit. C'est celle qui t'a élevée et qui t'aime plus que tout. La plus jolie maman du monde... »

Un court silence, puis Charlotte reprend, si bas que Thierry — qui ne perd pas une miette de la conversation ! — a du mal à saisir ses paroles :

« Vous ne le direz à personne, hein m'sieur, que je suis adoptée... »

Chapitre 17

Encore à moitié ensommeillée, Charlotte descend dans la cuisine en se grattant le crâne. Elle est pieds nus, et sa chevelure est si emmêlée qu'on dirait la crinière d'un poney mal entretenu. Debout sur la dernière marche, elle bâille en regardant « la plus jolie maman du monde » préparer le petit déjeuner.

Cette dernière l'aperçoit, s'arrête, et lui adresse un petit sourire.

« Alors ma puce... Bien dormi ?

— Bof... »

C'est vrai qu'elle est craquante, maman, dans son peignoir éponge blanc. Elle non plus n'est pas coiffée, et sa coupe de gamin, décoiffée par l'oreiller, lui donne un petit air mutin. Une bouffée de tendresse envahit Charlotte. Sans crier gare, les paroles de l'instit lui reviennent en mémoire : « *Ta seule vraie mère, c'est celle qui t'a élevée et qui t'aime plus que tout. »*

« Maman... »

Dans un élan spontané et imprévisible Charlotte se jette dans les bras de Claire. À présent, elles s'embrassent comme des folles. Après les jours pénibles qu'elles viennent de passer, c'est si bon de se retrouver. La bouche de Claire fait du slalom dans la tignasse de sa fille.

« Mon bébé..., chuchote-t-elle. Mon tout petit bébé...

— Maman... Maman chérie... »

Qu'est-ce que ça peut faire si une femme a abandonné Charlotte, puisqu'une autre est là, le cœur grand ouvert, pour l'aimer... ? La maternité, en fin de compte, est-ce une affaire de gènes ou une histoire d'amour ?

L'horloge, qui sonne la demie de sept heures, les ramène toutes deux à la réalité.

« Allons, à table ! dit Claire. Sinon, tu n'auras pas le temps de déjeuner ! »

L'instant d'après, Charlotte attaque son jus d'orange et ses corn-flakes.

« Et toi, tu ne manges pas ? » s'étonne-t-elle entre deux bouchées.

Le café de Claire, à peine entamé, a refroidi dans sa tasse.

« J'ai une petite nausée... » s'excuse la jeune femme du bout des lèvres.

Le regard de Charlotte se fait plus attentif.

« C'est vrai que tu n'as pas bonne mine...
Si maintenant, c'est toi qui te laisses mourir
de faim, on n'est pas sorties de l'auberge ! »

Elles rient, toutes les deux. D'un rire qui
ressemble à des mots d'amour.

« Je file m'habiller ! annonce Claire en se
dirigeant vers l'escalier. Je te déposerai à
l'école en partant, sinon, tu risques d'arriver
en retard. »

*
* *

Dans la cour de récréation règne une
curieuse effervescence. Les CM2, groupés
autour de l'instit, parlent tous en même
temps. La voix de Victor domine le brouhaha
ambiant.

« Non, Nicolas ! Ça ne va pas du tout, ça !
Tu vas me ramener tout de suite cet animal
chez toi ! »

Charlotte se fraie un passage parmi ses
camarades, pour voir de quoi il retourne.

Nicolas, bien embarrassé, regarde le bout
de ses chaussures. Dans sa paume, il y a un
gros hamster tout blanc qui remue placide-
ment le museau.

« On a eu un mal fou à placer les bébés
de Joséphine, poursuit l'instit, et voilà que tu

nous amènes ta Céleste. Ce n'est pas une annexe de la SPA, ici, je te signale, c'est une école !

— Mais m'sieur... J'ai peur qu'elle s'ennuie pendant le week-end. Elle n'aime pas rester toute seule, et nous, on va chez ma grand-mère... »

Désarmé par ce candide argument, l'instit gratouille la bestiole entre les oreilles.

« Un hamster qui a besoin de compagnie, j'aurai tout entendu...

— UNE hamster ! » rectifie Nicolas.

L'instit lui prend gentiment la petite bête des mains.

« Eh bien, mademoiselle LA hamster, on va te présenter à Joséphine, puisque tu ne supportes pas la solitude. Mais attention, pas de scène de jalousie, hein ! »

Nicolas, soulagé, respire enfin. La lutte a été dure...

Avec délicatesse, l'instit introduit la « nouvelle venue » dans la cage, où Joséphine nettoie son dernier rejeton, une petite boule de poils aussi noire que son père, Napoléon.

« Et celui-là, qu'est-ce qu'on va en faire ? demande Jean-Paul, en désignant le bébé qui grouille le long de sa mère.

— CELLE-LÀ, le corrige l'instit, avec un clin d'œil en direction de Nicolas. C'est aussi une femelle. Pour l'instant, on la garde. Si on lui retire tous ses petits, cette pauvre Joséphine va nous faire une dépression.

— Alors, faut lui donner un nom ! » décide Laure.

Murmure approbateur de la classe.

« Bonne idée, dit Victor en riant. Comment allons-nous l'appeler, cette jeune fille ? Vous avez une idée ? »

Moues indécises des élèves.

« Blanche-Neige ? suggère timidement Stéphanie, le pouce dans la bouche.

— Tu as vu sa couleur ? s'indigne Olivier. Noire-Charbon, ce serait mieux !

— Boule-de-suif ! s'écrie Laure. Comme dans le livre qu'on a étudié ! »

L'instit hoche la tête en souriant :

« Pas mal... Mais un peu long, tu ne trouves pas ?

— Oh, ça alors, c'est marrant ! » s'exclame tout à coup Nicolas, en désignant la cage.

Pendant la discussion, le bébé hamster s'est détaché de sa mère et a rampé vers Céleste. Celle-ci, retrouvant les gestes de ses précédentes maternités, le lèche comme s'il était à elle.

« Regardez, poursuit Nicolas, Céleste l'a adoptée !

— Ben alors, c'est pas compliqué, pour le

nom ! jette Thierry à la ronde. On n'a qu'à l'appeler Charlotte ! »

Hilarité générale.

Le visage de l'instit s'est fermé d'un seul coup. Quant à Charlotte, elle est devenue toute pâle. Après une seconde de stupéfaction, elle se jette sur le mufle en hurlant :

« Salaud ! Salaud ! »

Aussitôt, les rires cessent. Ne comprenant pas la cause d'une telle fureur, les CM2 se regardent, étonnés.

« Arrête, Charlotte ! » s'écrie l'instit en saisissant fermement la fillette par l'épaule.

Trop tard : une trace d'ongle où perlent quelques gouttes de sang zèbre la joue de Thierry.

« Mais elle est débile, celle-là ! proteste le garçon, effaré. Qu'est-ce qui lui prend ? J'ai rien dit de mal !

— C'est vrai ça, m'sieur ! Pourquoi elle l'a griffé ? s'étonne Jean-Paul.

— Moi, je veux bien qu'on l'appelle Laure, la hamster ! » précise Laure.

Les lèvres de Charlotte sont si serrées qu'elles dessinent une trace blanche tout autour de sa bouche. Et ses yeux, ses yeux... Si c'étaient des éclairs, Thierry serait foudroyé depuis longtemps !

« Allez tous vous asseoir, ordonne l'instit. Je vais régler cette affaire... »

Tandis que les CM2 obtempèrent en silence, Charlotte se plante devant Thierry.

« Pourquoi t'as dit ça, espèce de nul ? » crache-t-elle.

Le garçon a retrouvé tout son aplomb.

« Ben... parce que c'est vrai, tiens ! Toi aussi, t'as été adoptée, non ? »

Les regards surpris de la classe convergent vers Charlotte.

« Il est tombé sur la tête ! » bondit Olivier, en toute bonne foi.

L'instit saisit Thierry par la peau du cou.

« Toi, si je t'entends encore..., gronde-t-il. Tu regagnes ta place et TU TE TAIS, OK ? »

Sans un mot — mais savourant tout bas une vengeance dont il ne mesure pas l'odieuse portée —, le « coupable » obéit.

Un murmure confus circule dans les rangs. On distingue le mot « adoptée », revenant comme une ritournelle. Vingt paires d'yeux dévisagent Charlotte avec insistance. Ébranlée, la fillette fait front.

« Oui, je suis adoptée ! écume-t-elle. Et alors, ça vous dérange ? »

Elle tire la langue. Une grimace tragique, plus éloquente que des sanglots.

Avec sa douceur coutumière, l'instit s'approche d'elle, la ramène vers son pupitre.

« Calme-toi, ma grande... » lui souffle-t-il.

La fillette se laisse tomber sur sa chaise. Ses nerfs lâchent. Enfouissant sa tête dans ses bras croisés, elle éclate en pleurs.

Durant un long moment, Victor caresse silencieusement la chevelure brune. Il est bouleversé. « *C'est si mystérieux, le pays des larmes* », disait Saint-Exupéry dans *Le Petit Prince.* Mystérieux et terrible.

Plus un bruit, dans la classe. Juste les hoquets de Charlotte. Penauds, les CM2 écoutent s'égrener ces poignants gémissements qui font mal à entendre. Thierry, prenant enfin conscience de l'erreur — de l'horreur, plutôt ! — qu'il a commise, se sent mal à l'aise...

Chapitre 18

Son cartable sur le dos, Charlotte rentre de l'école. Elle marche d'un pas mécanique, perdue dans ses pensées. Cette journée, fertile en événements, l'a épuisée. Tout son corps est moulu comme après des heures de gymnastique, une compétition sportive ou cinquante longueurs de piscine.

Ça avait horriblement mal commencé, ce matin, mais finalement, tout s'est arrangé. Grâce à l'instit ! Il a donné un cours sur l'adoption, et les plus réticents ont fini par trouver ça formidable. Laure a même décidé que, quand elle serait grande, elle adopterait six enfants !

Contrairement à ce que redoutait Charlotte, on n'« achète » pas les bébés abandonnés comme des chiots dans une animalerie. Ce serait trop simple et vraiment affreux ! Au contraire, les formalités sont longues et pénibles. Elles durent parfois des années. D'interminables années de patience et d'espoir, pour les futurs parents. Une obstination sans limites.

« Finalement, a conclu Novak, il faut encore plus d'amour pour adopter un enfant que pour le fabriquer soi-même. En tout cas, c'est bien plus difficile et ça prend plus de temps ! »

Alors, Charlotte a imaginé son papa et sa maman. Lui, grand et beau comme sur la photo de vacances, elle, toute frêle, un peu garçon manqué dans ses jeans et ses tee-shirts blancs. Ils se tenaient par la main, si émus qu'ils n'arrivaient plus à parler. Depuis des années, ils l'attendaient, ce mignon bébé dont ils avaient fait la demande. Et leur désir grandissait avec le temps. Enfin, on leur a annoncé : « Votre petite fille est arrivée, elle s'appelle Charlotte. » Et là, main dans la main, ils sont partis la chercher.

La fillette les voit comme dans un film :

Ils entrent dans une grande maison. Sur la porte, une plaque de cuivre indique DDASS. Une infirmière les introduit dans la nursery et leur montre un berceau.

« Voilà votre fille, dit-elle. Elle a quatre mois. »

Papa et maman s'approchent. Ils pleurent de bonheur. Dans le berceau, la petite Char-

lotte gazouille. C'est le même bébé que sur la photo de l'album. Une brunette aux grands yeux noirs, toute rose et toute potelée.

« Comme elle est belle ! » s'extasie maman.

Elle la prend dans ses bras, l'embrasse passionnément. Papa en fait autant. Baisers et larmes se mélangent sur la frimousse du poupon.

Oui, c'est ainsi, sûrement, que ça s'est passé. En y réfléchissant bien, c'est presque mieux qu'un accouchement. Et tant pis pour le *studbook*. En devenant l'enfant des Renan, Charlotte n'a peut-être pas hérité du bagage génétique de ses parents, mais d'une provision de larmes et de baisers. Pas d'arbre généalogique, mais une seconde naissance.

L'autre naissance n'était qu'un brouillon. La deuxième a été la bonne, la seule vraie. Celle qui apportait enfin à papa et maman la petite fille de leurs rêves. Celle qui dotait Charlotte d'une véritable famille.

« Quel dommage que ma mère ne m'ait pas expliqué ça elle-même, regrette furtivement la fillette. Ça m'aurait évité de me rendre malade comme je l'ai fait ! »

Après la leçon, Thierry s'est glissé près d'elle.

« X'cuse-moi pour tout à l'heure... » a-t-il murmuré, tout honteux.

Charlotte lui a tendu la main sans rancune.

« Pour une drôle de journée, c'était une drôle de journée ! chantonne la fillette tout en marchant. De la pluie, puis du soleil par-dessus. Juste ce qu'il faut pour faire un arc-en-ciel ! »

Arrivée devant chez elle, la fillette ouvre machinalement la boîte aux lettres.

Des prospectus, une lettre de la banque... Tiens, quelle est cette grande enveloppe ? Sur l'en-tête, il est écrit *CLINIQUE DU CHÂTEAU, laboratoire d'analyses médicales.* Qu'est-ce que ça signifie ?

Une sourde angoisse au ventre, la fillette rentre à la maison.

Que peut-il bien y avoir dans cette bizarre enveloppe ? Elle est adressée à Claire, Charlotte ne peut tout de même pas l'ouvrir. Mais ça l'intrigue énormément...

Elle l'approche d'une lampe, pour tenter d'en distinguer le contenu par transparence. Mais l'enveloppe garde son secret. Pour en savoir plus, Charlotte n'a d'autre choix que d'attendre le retour de sa mère, en rongeant son frein.

Enfin, la clé tourne dans la serrure et Claire apparaît, les bras chargés de sacs de commissions qu'elle pose sur la table. Sa fille lui saute au cou.

« Bonsoir, ma pupuce, dit la jeune femme, ravie de l'accueil. Pfff... Je suis morte. Il y avait un monde, au super-marché !

— Va te reposer, propose Charlotte. Je vais tout ranger dans le réfrigérateur. »

Surprise par tant de sollicitude, Claire se laisse dorloter avec reconnaissance.

« Tiens, ajoute Charlotte en lui tendant l'enveloppe. Y a ça qui est arrivé pour toi. »

La jeune femme aperçoit l'en-tête, hésite, puis repose sans commentaires la lettre sur le frigo.

« Tu ne l'ouvres pas ? s'étonne Charlotte.

— Bah, ça peut attendre !

— Tu n'es pas malade, au moins ? »

Petit rire de Claire :

« Que vas-tu imaginer, ma chérie ? J'ai juste passé un examen de routine. »

Mais Charlotte est une obstinée. Elle récu-père le pli et le lui redonne.

« Regarde maintenant, s'il te plaît ! » insiste-t-elle.

Claire finit par céder.

« Alors ? C'est grave ou quoi ? » s'impa-tiente Charlotte.

Pendant la lecture des résultats, le visage

de Claire est resté impassible. Mais ses yeux ont changé de couleur. Ils sont devenus lumineux.

« Maman, réponds-moi ! insiste Charlotte.

— Euh... Non, non... Ce n'est rien ! »

Ça y est, ça recommence. Claire est incorrigible. Les dégâts causés par ses mensonges ne lui ont donc pas servi de leçon ?

« T'as pas encore compris qu'il ne faut pas faire de cachotteries ? » s'insurge la fillette.

Les rôles sont subitement inversés. C'est Charlotte qui tient un discours d'adulte et « sonne les cloches » à sa mère. Et c'est Claire qui, prise en flagrant délit, baisse piteusement la tête.

« Dis-moi la vérité, maman ! J'ai le droit de savoir ! »

Avec un sourire incertain, la jeune femme capitule.

« Ma pupuce... Je... J'attends un bébé... Et c'est Philippe le papa... »

Si Charlotte s'attendait à ça ! La foudre, s'abattant à ses pieds, ne la surprendrait pas davantage.

Durant quelques instants, elle reste tétanisée, la bouche ouverte, dans un état de stupeur extrême. Puis, tournant les talons, elle sort de la cuisine sans un mot.

« Je ne comprends rien, m'sieur Novak ! »

Une fois de plus, Charlotte s'est tournée vers l'instit pour avoir des explications. D'une traite, elle a couru jusqu'au haras.

Dans le soir qui tombe sur les champs immobiles, ils marchent côte à côte. Et le couchant dessine d'immenses ombres, qui les précèdent sur le chemin.

« Maman m'a dit qu'ils m'avaient adoptée, papa et elle, parce qu'ils ne pouvaient pas avoir d'enfant. C'était encore du baratin, alors ? »

Quelque part dans la plaine, un cheval hennit. Lentement, le soleil orange glisse derrière l'horizon.

« Quand un couple est stérile, le problème ne vient pas toujours de la femme..., répond Victor.

— Ah bon ? C'est la faute de mon père, alors ?

— Probablement.

— Il ne pouvait pas faire de câlins ? »

L'instit se met à rire.

« Ce n'est pas une question de câlins, heureusement. La cause de stérilité se situe dans des fonctions anatomiques bien plus complexes. Quand, par exemple, entre l'ovule et les spermatozoïdes, ça ne "colle" pas... »

Charlotte a une petite grimace involontairement comique :

« Avec le père d'Olivier, en tout cas, ça a "collé" ! Quand je pense qu'il y a un mois, ils se disaient à peine bonjour ! »

Ça y est, le soleil a plongé de l'autre côté de la terre. Sur la ligne d'horizon, il ne reste plus qu'un halo rougeâtre qui peu à peu s'estompe, avalé par le crépuscule.

« C'est ce que vous souhaitiez, non, Olivier et toi ?

— Euh... oui, hésite Charlotte. Mais il s'est passé tant de choses depuis, que je ne sais plus trop où j'en suis. Et puis...

— Et puis ?

— Non, rien ! » fait la fillette en se mordant les lèvres.

Chapitre 19

Allongée sur son lit, les yeux dans le vague, Claire se repose lorsque Charlotte déboule comme une bombe dans la chambre. Elle est tout excitée.

« Ça y est, maman ! J'ai fini ton puzzle ! »

La jeune femme se redresse sur le coude et sourit.

« Bravo, ma pupuce ! Tu es un vrai petit génie ! »

Déjà, sa fille l'a attrapée par la main, et la tire.

« Viens vite, je vais te montrer !

— Tout à l'heure, répond Claire en s'étirant paresseusement. Là, je suis un peu fatiguée. À cause de... tu comprends ? »

Avec une complicité charmante, elle pose la petite main, qu'elle n'a pas lâchée, sur son ventre. Mais la petite main résiste et se retire.

« Bien sûr, maintenant, il n'y en a plus que pour le bébé ! jette Charlotte. Moi, je compte pour du beurre ! »

Et, tournant les talons, elle file dans sa chambre.

Restée seule, Claire soupire. Ces sautes d'humeur l'épuisent. Et pourtant... Mentalement, elle se fait des reproches. Charlotte vient de vivre une passe difficile. Ce n'est pas le moment de la négliger...

Surmontant sa lassitude, la jeune femme se lève et, clopin-clopant, va retrouver sa fille. Celle-ci, assise sur son lit, contemple son puzzle d'un air maussade.

« Magnifique ! » s'exclame la jeune femme.

Sur l'image enfin reconstituée, la jument blanche et le poulain noir trottent de concert. Tout en courant, la mère lèche son petit. Une saisissante impression de bonheur et de paix émane de la scène.

Comme Charlotte ne réagit pas, Claire s'installe près d'elle et, du bout des doigts, effleure son visage renfrogné.

« Alors, miss Grogne-grogne, dit-elle gentiment, on fait la tête ? »

Miss Grogne-grogne, c'est le surnom qu'elle lui donnait quand elle était toute petite, et qu'elle boudait. Une foule de souvenirs s'y rattache. Mais cette évocation ne suffit pas à dérider Charlotte.

« Qu'est-ce que tu as, ma chérie ? insiste Claire.

— De toute façon, je sais que tu l'aimeras plus que moi..., ronchonne la fillette entre ses dents.

— Quoi ? Qu'est-ce que tu racontes ? De qui parles-tu ?

— Du bébé, évidemment ! C'est normal : lui, il sortira vraiment de ton ventre ! »

Charlotte a craché ces derniers mots d'une voix éraillée. Puis, d'un geste rageur, elle a éparpillé le puzzle. Maintenant, elle pleure à gros sanglots.

« Ma chérie... Ma petite fille adorée... » murmure Claire en la serrant contre elle.

Puis, repensant à l'image si tendre qu'un coup de poing vient de disloquer :

« Mon petit poulain noir... » ajoute-t-elle. Et elle gobe, de la pointe de la langue, les larmes qui coulent sur les joues de son enfant.

« Maman...

— Oui, ma pupuce ?

— Tu sais ce qui me ferait plaisir ? »

Un dernier hoquet secoue la poitrine de Charlotte.

«... ce serait qu'on aille faire une promenade à cheval, toutes les deux.

— Il y a si longtemps que je ne suis plus montée..., proteste Claire.

— Depuis la mort de papa, je sais... Pourquoi ? »

La jeune femme a un geste évasif.

« On a appris ensemble, dans le même manège. On a participé aux mêmes concours. L'équitation, c'était notre truc à tous les deux. Lui disparu, je n'ai plus eu envie...

— Mais... l'envie te reviendra, n'est-ce pas, si tu te maries avec Philippe ?

— Peut-être... »

Prenant la main de sa mère dans la sienne, Charlotte serre très fort les doigts frêles, qui ne se dérobent pas.

« Alors, pourquoi ne pas commencer tout de suite ? »

Claire hésite. Faire du cheval est déconseillé aux femmes enceintes. Mais le désir qu'elle lit dans les yeux de la fillette est si fort que dire « non », c'est encore la blesser. Elle ne s'en sent pas le courage.

« C'est de papa et toi que je tiens mon amour des chevaux, insiste doucement Charlotte. Les gènes, ce n'est pas tout. Il y a aussi l'influence des parents, m'sieur Novak nous l'a dit... J'ai toujours rêvé qu'on galope ensemble, toi et moi, maman... »

Comment résister à une si touchante sollicitation ?

« D'accord, ma pupuce. Je vais chercher ma bombe, et on y va. »

« Tu es sûre que ça ira, Claire ? » s'inquiète Philippe.

La jeune femme secoue sa petite tête de gamin en riant.

« Bien sûr, je ne suis pas en porcelaine ! »

C'est le front barré d'un pli soucieux que l'éleveur regarde s'éloigner les deux cavalières. Son fils, qui a suivi toute la scène, s'en étonne :

« Pourquoi tu te tracasses, p'pa ? La maman de Charlotte était une championne, dans le temps. Monter à cheval, ça ne s'oublie pas ! »

— Bien sûr mais..., répond Philippe d'un air préoccupé. Mais... je redoute les secousses...

— Les secousses ? »

Comme Olivier ouvre de grands yeux éberlués, son père se met à rire.

« Viens là, bonhomme, j'ai quelque chose à t'annoncer. »

Intrigué, le garçon s'approche. Philippe se penche à son oreille.

Au fur et à mesure qu'il chuchote, le visage d'Olivier se transforme. Il s'éclaire progressivement. Quand la confidence se termine, sa bouille criblée de taches de rousseurs rayonne comme un soleil.

« Génial ! » s'écrie-t-il en faisant des bonds de joie.

Puis, redevenant subitement sérieux :

« Et tu crois que les secousses, ça peut être mauvais ? »

*
* *

« Philippe ! Philippe ! Viens vite ! » hurle Charlotte, hors d'elle.

Dans un grand fracas de sabots, Vénus et sa cavalière débouchent en trombe dans la cour. Jaillissant de la maison, l'éleveur, en proie au pire pressentiment, se précipite à leur rencontre.

« Qu'est-ce qui se passe ?

— Maman... maman... elle est tombée... »

La fillette tremble de tous ses membres. Elle est d'une pâleur mortelle — la joue diaphane, les lèvres crayeuses — et semble sur le point de tourner de l'œil.

Philippe pousse un juron mais ne perd pas son sang-froid. D'un bond, il enfourche Prince qui paissait dans l'enclos. L'instant d'après, les deux chevaux repartent au grand galop en direction de la campagne.

Ils atteignent rapidement le lieu de l'accident.

Claire gît sur le sol sans connaissance. Près d'elle, Cupidon, un jeune alezan à la robe lustrée, broute paisiblement. Non loin, la rivière miroite tel un serpent d'argent entre ses rives herbues.

Philippe tire trop fort sur les rênes, faisant se cabrer sa monture, et, fou d'inquiétude, saute à terre.

« Claire ! Claire ! » hurle-t-il.

Il se jette à genoux près du corps et, craignant le pire, l'ausculte avec fébrilité.

« Elle n'est qu'évanouie... Charlotte, va chercher de l'eau dans la rivière. »

Comme un automate, la fillette obéit. Elle remplit sa bombe de liquide frais, dont Philippe s'emploie aussitôt à rafraîchir les tempes de Claire. Au bout de quelques secondes — qui semblent des siècles ! — la jeune femme revient à elle et sourit faiblement aux deux visages anxieux penchés sur elle.

« Que s'est-il passé ? demande Philippe, d'une voix brisée par l'émotion.

— J'ai eu... un malaise... Après, je ne me souviens plus...

— Tu as glissé de ton cheval..., précise Charlotte. Tu es devenue toute molle et tu es tombée de côté. Heureusement, on était au pas... Mais j'ai rien pu faire pour te rattraper... »

Claire se redresse légèrement, tente de se lever... Y renonce avec une grimace de douleur.

« Tu as quelque chose de cassé ? s'inquiète Philippe.

— Non, je ne crois pas... Mais j'ai très mal au dos et au ventre... Le choc, sans doute...

— Ne bouge pas, surtout. Il faut t'emmener tout de suite à l'hôpital. Charlotte, va chercher l'instit, il doit être dans sa chambre. Dis-lui de venir avec le 4 × 4 ! »

Chapitre 20

Charlotte et Olivier, assis sur le même banc, ont l'air de deux moineaux frileux. Ils ne parlent pas, mais du premier coup d'œil, on voit qu'ils sont tenaillés par la même angoisse.

Les nouvelles de Claire ne sont pas très bonnes. Si elle ne souffre que de quelques contusions sans gravité, sa grossesse, en revanche, semble compromise. Depuis la veille, Philippe n'a pas quitté son chevet. Novak a passé la moitié de la nuit dans la salle d'attente. Restés seuls à la ferme, les enfants n'ont guère dormi.

Ce matin encore, les médecins ne pouvaient pas se prononcer. Charlotte et Olivier sont partis pour l'école dans la plus complète incertitude.

Jamais ils ne se sont sentis aussi proches l'un de l'autre, et pour cause : c'est de leur petit frère — ou de leur petite sœur — à eux deux, qu'il s'agit. C'est LEUR bébé qui est en danger. C'est LEUR mère qui lutte, à l'hôpital, contre une menace de fausse couche et LEUR père qui lui tient la main...

Face à eux, sur l'estrade, l'instit a lui aussi une mine de circonstance. Le drame de cette famille à l'équilibre si fragile, cette famille « en cours de formation » qu'il a vue se débattre dans des problèmes terribles, et pour laquelle tout semblait sur le point de s'arranger, le touche terriblement. Mais il fait son possible pour le cacher : ces problèmes ne concernent pas le reste de la classe.

« Ouvrez vos livres de grammaire à la page vingt-quatre, dit-il sur un ton faussement dynamique. Nous allons étudier l'accord des participes passés. »

Au même moment, la porte s'ouvre et la directrice apparaît, précédant une jeune femme que Victor ne connaît pas, mais que les CM2 accueillent avec des cris de joie.

« Bonjour, monsieur Novak, bonjour les enfants. Mme Viviani est venue nous présenter sa petite Juliette », annonce la directrice.

Des hourras retentissent, une formidable ovation pour saluer le nouveau-né, que la mère porte dans un grand couffin d'osier.

« Doucement, rit Mme Viviani, vous allez la réveiller ! »

Trop tard : un vagissement aigu s'élève du panier.

« Juliette, voilà mes élèves ! » dit la maman, en soulevant le nourrisson dans ses bras.

Tous les CM2 se pressent à présent autour de l'institutrice. Tous... sauf Charlotte et Olivier, qui n'ont pas bougé de leur place et regardent sombrement la scène.

« T'as vu ses doigts ? dit Laure à Stéphanie. Ils sont aussi petits que des allumettes ! »

Stéphanie sort son pouce de sa bouche :

« Et ses ongles... on dirait des confettis ! » ajoute-t-elle.

Jean-Paul et Thierry rivalisent de grimaces pour faire rire Juliette. Et ma foi... ils y réussissent presque !

« Regardez, m'dame, elle m'a souri ! s'écrie le "schtroumpf à lunettes".

— Mais non, c'est à moi qu'elle a souri ! proteste Thierry.

— À moi, andouille ! »

La réponse de l'institutrice met fin à la querelle.

« Ni à l'un ni à l'autre, mes enfants. Ne vous faites pas d'illusions, elle ne vous distingue pas encore nettement.

— Comment ça se fait ? demande Stéphanie.

— La vue des nouveau-nés reste floue pendant plusieurs semaines.

— Elle ne vous reconnaît pas, alors ? » s'étonne Laure.

Mme Viviani sourit, amusée.

« Si, mais comme tous les petits reconnaissent leur mère : à l'odeur ! »

Fasciné, Nicolas glisse son index dans la menotte aux doigts microscopiques. Par réflexe, ceux-ci se referment aussitôt.

« Wah ! Elle serre fort ! s'émerveille le garçon.

— Ça donne envie d'avoir une petite sœur ! » décrète Laure, au comble de l'émerveillement.

Un cri étouffé fait écho à cette réflexion. À bout de nerfs, Charlotte s'est levée. Bousculant sa chaise qui s'écroule avec fracas, elle fonce vers la porte.

« Mais... ? Où tu vas ? » s'inquiète Olivier, en essayant de la retenir par la manche.

La porte claque. Charlotte est déjà loin.

« Madame Viviani... Excusez-moi, je vous confie vos élèves ! » dit Novak. Et il se précipite vers le couloir en criant : « Charlotte ! », sous les yeux ébahis des deux femmes et du reste de la classe.

« Charlotte, Charlotte, reviens ! »

La fillette a filé vers la cour. Une fois dehors, elle s'est laissée tomber sur l'herbe et, roulée en boule, sanglote à perdre haleine.

Victor la rejoint et, très doucement, prend ce petit tas de souffrance dans ses bras.

« Allons, Charlotte, allons... calme-toi... Tout va s'arranger, tu verras... »

Des soubresauts déchirants secouent la fillette.

« C'est... ma faute... c'est... ma... faute..., ânonne-t-elle.

— Qu'est-ce qui est ta faute ?

— C'est ma faute... si... le bébé... va... mourir... »

Aujourd'hui, les nuages ont remplacé le soleil. De gros polochons gris gorgés de pluie bouchent l'horizon. Sur la branche d'un arbre voisin — carcasse noire à présent sans feuilles — un merle chante. Ses roulades triomphantes montent vers le ciel d'automne, comme un défi au mauvais temps.

L'instit écarte les boucles noires qui retombent sur le visage de la fillette, découvrant des yeux tuméfiés, des joues marbrées de rouge.

« Pourquoi crois-tu ça, Charlotte ?

— C'est moi... qui ai voulu que maman monte à cheval...

— Et alors ? Tu ne pouvais pas deviner que ce n'était pas bon pour elle, tu n'as aucun reproche à te faire ! »

La gorge de la fillette, trop serrée, ne laisse passer les mots qu'entrecoupés de spasmes et de hoquets.

« Elle... elle ne me l'avait... pas dit... que c'était dangereux... de faire de l'équitation... quand on est... enceinte... Elle ne me dit... jamais... rien... ma maman... »

Un sanglot, plus fort que les autres :

«... mais c'est... quand même ma... faute... »

Perdue dans ses grandes mèches mouillées, Charlotte ressemble à une naufragée.

« Pourquoi ? demande doucement l'instit.

— Parce que... j'en voulais pas, moi, de ce bébé... J'étais jalouse de lui... J'ai souhaité qu'il meure... et... et... »

Elle s'effondre.

«... mon souhait s'est... réalisé... »

Dans le vent qui se lève, l'instit berce la petite fille enfin silencieuse. Elle ne dit plus rien, Charlotte. Elle n'a plus rien à dire. Elle a crevé l'abcès, soulagé sa conscience, avoué son « crime »...

« Ça arrive à tout le monde de souhaiter des mauvaises choses, dit Victor. Mais c'est sans importance, nos vœux ne changent pas le cours des événements. Tu n'es pas responsable de ce qui est arrivé, je te le jure. Si ta mère a commis une imprudence, si votre

176

promenade a mal tourné, tu n'as rien à voir là-dedans.

— Si je n'avais pas insisté... elle ne serait pas venue...

— Elle pouvait refuser.

— Elle a cédé parce qu'elle m'aime ! Elle a sacrifié son bébé pour moi ! »

L'instit a un sourire rassurant.

« Tu exagères, ma grande. Penses-tu que si elle avait pu prévoir ce qui s'est passé, elle aurait accepté ?

— Euh... non..., avoue la fillette, après quelques secondes de réflexion.

— Alors, tu vois bien ! C'est un accident, rien de plus. Et tu vas me faire le plaisir d'ôter ces vilaines idées de ta petite tête, et rentrer gentiment en classe ! »

Il se redresse, attrape Charlotte par la main et, l'entraînant vers les bâtiments, ajoute :

« Et puis... Olivier, lui aussi, a besoin de réconfort ! Tu n'as pas le droit de le laisser tout seul, dans ce moment difficile. C'est bientôt ton frère, après tout ! »

Surprise ! La directrice les attend sur le pas de la porte.

« Charlotte, M. Mazière vient de téléphoner, annonce-t-elle. Ta maman va mieux. Elle reste encore en observation un jour ou deux à l'hôpital, puis elle pourra rentrer.

— Et le bébé ?

— Pas de problème. »

Les traits de Charlotte s'éclairent.

« C'est... c'est merveilleux ! »

D'un seul coup, le soleil vient de balayer les nuages.

Chapitre 21

Dans le haras des Mazière, des gradins ont été installés pour accueillir les spectateurs. Au premier rang, Claire — en pleine forme, malgré la chaude alerte — Philippe — qui tient sa future femme par les épaules — Olivier, Victor, la directrice, mamie — un paquet de madeleines sur les genoux — et tous les élèves de CM2, brandissant une banderole où il est marqué : *VAS-Y CHARLOTTE !*

Le concours a déjà débuté depuis un bon moment. Sous les yeux du jury attentif, une cavalière d'une quinzaine d'années s'apprête à terminer son parcours par l'obstacle le plus dur : la double haie.

Le premier saut se passe sans encombre, mais les membres postérieurs du cheval accrochent la seconde haie.

« Houlà ! s'exclame l'instit, pas très bon pour elle, ça !

— Mais excellent pour Charlotte...,
rétorque Philippe en se frottant les mains.
C'était sa concurrente la plus sérieuse, et la
voilà disqualifiée ! »

Au même moment, une annonce-micro
résonne sur le terrain :

« Charlotte Renan, montant Vénus. »

Un tonnerre d'applaudissements salue
l'entrée en piste de la brunette, qui adresse
un sourire crispé à sa mère. Cette dernière
lui envoie un baiser du bout des doigts, puis
se blottit nerveusement contre Philippe.

Olivier, déchaîné, est debout. Il s'agite
comme un beau diable, siffle dans ses doigts,
et finit par entonner le slogan bien connu,
repris aussitôt en chœur par toute la classe :

« Allez, Charlotte ! Allez, Charlotte !
Allez ! »

Laure et Thierry ont emmené les hamsters.
Napoléon et Joséphine sont aussi de la fête !
Mais rien, ni l'enthousiasme ambiant, ni les
cris, ni les trépignements, n'entament leur
placidité naturelle.

« T'as pas pris Céleste, Nicolas ? s'étonne
Stéphanie. Je croyais qu'elle aimait la compagnie.

— Elle garde Boule-de-suif », répond
Nicolas.

Soudain, le silence se fait. Le grand
moment approche.

Charlotte, très concentrée, caresse l'encolure de Vénus et l'encourage de la voix. Puis le parcours commence.

Très tendue, Claire retient sa respiration. Elle s'est agrippée à Philippe et, sans même s'en rendre compte, elle enfonce ses ongles dans la paume de l'éleveur. Olivier se dévore les lèvres. Les CM2 suivent chaque phase de l'épreuve avec une attention soutenue. Pas un muscle ne bouge sur le visage de Victor.

Prestation remarquable ! Charlotte fait un parcours sans faute. Chaque victoire est ponctuée par les hurlements stridents des supporters.

Enfin arrive l'ultime épreuve, la fameuse double haie. La jeune cavalière a une fraction de seconde d'hésitation. Comme pour puiser de l'énergie dans les regards de ses amis, elle se tourne vers les gradins.

« Courage, ma grande... Courage... » chuchote Philippe tout bas.

Plus un bruit, dans le public. On entendrait une mouche voler, s'il y en avait à cette saison. Réconfortée par ce qu'elle a lu sur les visages tendus vers elle, Charlotte se positionne devant l'obstacle.

Un dernier coup d'œil à sa mère, un sourire de celle-ci... et la fillette s'élance. Menée de main de maître, Vénus s'envole, retombe, s'envole à nouveau, réussissant un double saut magistral.

Sur les gradins, c'est l'euphorie.

Dans un élan d'enthousiasme, Claire se jette au cou de Philippe. Les gamins crient à l'unisson, tout le monde se congratule. Olivier trépigne, les bras levés en signe de triomphe. Et mamie se hisse même sur la pointe des pieds pour faire la bise à Victor !

« Vous aussi, vous faites partie de la famille, monsieur Novak ! » lui gazouille-t-elle à l'oreille, désignant sa fille, son futur gendre et Olivier, serrés les uns contre les autres, et que le bonheur transfigure.

Un peu plus tard, un vin d'honneur rassemble, dans la cour du haras spectateurs et participants. Sous les chaudes félicitations de l'assemblée, Charlotte reçoit son trophée des mains du maire, président du jury. Sur le métal doré est gravé Grand *Prix équestre de Verblé.* La première coupe de la petite championne...

Tandis que Philippe lève solennellement son verre à la santé de la lauréate, mais également à celle des concurrents moins heureux, Claire prend sa fille par les épaules.

« Moi aussi, j'ai quelque chose pour toi ! » lui souffle-t-elle.

Elles s'éclipsent en catimini et se

retrouvent toutes les deux dans la cuisine, loin des rumeurs de la foule.

Avec un petit sourire étrange, Claire tend une enveloppe à sa fille.

« Tu me refais le coup de Prague ? plaisante celle-ci. Le championnat, c'est dans trois semaines, et... »

Elle s'interrompt, réalisant soudain que ce qu'elle tient entre les mains, c'est la fameuse enveloppe en papier kraft qu'elle a tant cherchée quelques semaines plus tôt.

« Mais... ? » s'étrangle-t-elle.

Le sourire de Claire a disparu, remplacé par une expression très grave.

« J'ai réfléchi, ma chérie. Il n'y aura plus jamais de mensonges entre nous, quoi qu'il m'en coûte. Alors... voilà, c'est un papier d'état civil. Il comporte le nom de la personne qui t'a donné naissance, et son adresse de l'époque. Si un jour tu as envie de faire des recherches, je le comprendrai très bien... C'est un droit légitime... Le serment que j'avais fait à ton père ne tient pas debout. On n'a pas le droit de priver un être de ses racines... »

Elle a parlé très vite, d'une seule traite. Puis, gagnée par l'émotion, elle s'est éloignée au bout de la pièce. Le front contre le mur, elle attend le verdict de sa fille.

Soudain, une petite main très douce se pose sur son bras, l'obligeant à se retourner.

Charlotte n'a pas ouvert l'enveloppe. Elle la lui rend intacte.

« Garde-la. Si un jour j'en ai besoin, je te la demanderai. Et je sais que tu me la donneras sans hésiter. L'important, c'est que dorénavant, on se fasse confiance, toutes les deux... »

Des larmes de soulagement emplissent les yeux de Claire. Fougueusement, elle embrasse sa fille.

« Mes racines, c'est toi... » lui murmure Charlotte à l'oreille.

Puis montrant, à travers la vitre, Philippe et Olivier qui trinquent avec mamie :

«... et eux ! » ajoute-t-elle d'une voix tremblante.

Épilogue

Cette fois, l'automne est vraiment là. Ciel tourmenté, bourrasques, pluie... Le vent, en passant sous les portes, hurle furieusement. La campagne, battue par la tempête, est d'une rare sauvagerie.

Dans la ferme des Mazière, il fait chaud et douillet. Le feu danse dans la cheminée, des rires et de la musique emplissent l'atmosphère. Dans la grande salle, le repas s'achève. Un repas d'adieu.

C'est mamie qui a apporté le dessert, et franchement, elle s'est défoulée. Un gigantesque baba au rhum trône au milieu de la table.

« Vous voulez bien le couper ? demande la vieille dame à Victor, en lui tendant un couteau.

— Décidément, ça devient une habitude !

Enfin... puisque les instits savent tout faire ! »

Il lui adresse un clin d'œil complice et déclare :

« Mamie, vous allez me manquer, vous... et vos gâteaux !

— Vous aussi, mon cher Victor, vous allez nous manquer, assure Philippe. Comme disait le vieux sage chinois... »

Il se pince le nez pour imiter l'accent asiatique :

« *... notre cœur est triste et gai à la fois...* »

Charlotte, un doigt sur la tempe, fait signe à Olivier que son père est « zinzin ».

« ... Triste parce que vous allez nous quitter... » poursuit Philippe, imperturbable.

Toutes les têtes s'inclinent.

« ... et gai car nous sommes sûrs que vous nous reviendrez un jour. »

Des applaudissements éclatent. Se prêtant au jeu, Victor prend un air inspiré.

« Un vieux cheval fatigué trottera vers moi, l'encolure courbée sous le poids des ans, comme pour m'inviter une dernière fois à le monter... »

Rires. Olivier fait « snif-snif », et se frotte exagérément les yeux avec les mains, pour singer l'émotion.

« Derrière ces murs accueillants, une

famille m'attendra... » poursuit l'instit sur le même ton lyrique.

Puis il redevient naturel et achève, sincère cette fois :

«... une famille à laquelle je souhaite, du fond du cœur, tout le bonheur possible ! »

L'assistance applaudit. Charlotte, plus émue qu'elle ne veut le montrer, s'approche de Victor et lui pose un rapide baiser sur la joue.

« Je ne vous oublierai jamais, m'sieur Novak !

— Moi non plus, dit Claire, avec reconnaissance. Car enfin, ce bonheur, c'est quand même un peu à vous que nous le devons ! »

D'un même geste maternel, elle attire Charlotte et Olivier contre elle.

« On va être bien, tous les quatre, hein !

— Tous les cinq, tu veux dire ! » rectifie Charlotte, en lorgnant le ventre de sa mère.

Mamie s'essuie le coin de l'œil avec le bord de sa serviette.

« Trois petits-enfants... Je suis comblée ! » s'exclame-t-elle.

Et d'un geste solennel, elle se ressert du gâteau.

Composition *Jouve* — 53100 Mayenne

Imprimé en France par *Partenaires-Livres*®
n° dépôt légal : 7817 — mai 2001
20.07.0686.01/4 ISBN : 2.01.200686.8

Loi n° 49-956 du 16 juillet 1949
sur les publications destinées à la jeunesse